# ひらがなの ふくしゅう ❶

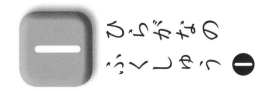

| がつ | にち | なまえ |
|---|---|---|
|  |  |  |

✎ ひらがなを なぞって（かいて）、ひょうを つくりましょう。
こえに だして ひらがなを よみましょう。

| | い | う | え | お |
|---|---|---|---|---|
| あ | | | | か |
| か | き | く | け | こ |
| さ | し | す | せ | そ |
| た | ち | つ | と | と |
| な | に | ぬ | ね | の |
| は | ひ | ふ | へ | ほ |
| ま | み | む | | や |

✏ ひらがなを なぞって（ ）に、ひらがなを かきましょう。

いえに かえって うちの ひとに なまえを よませましょう。

がつ　にち　なまえ

おうちのかた
絵に合うひらがなのことばを書きます。難しい場合は、前のページの表などを手元において、見ながら書いても よいでしょう。濁音や、促音（ちいさな「っ」）が難しいようでしたら、「「く」は、「く」にてんてんね」「こは、小さい「っ」ね」など、声をかけてあげてください。書けたら、ことばを声に出して読みましょう。

✎ えを みて ひらがなを かきましょう。（なぞりましょう。）
こえに だして ことばを よみましょう。

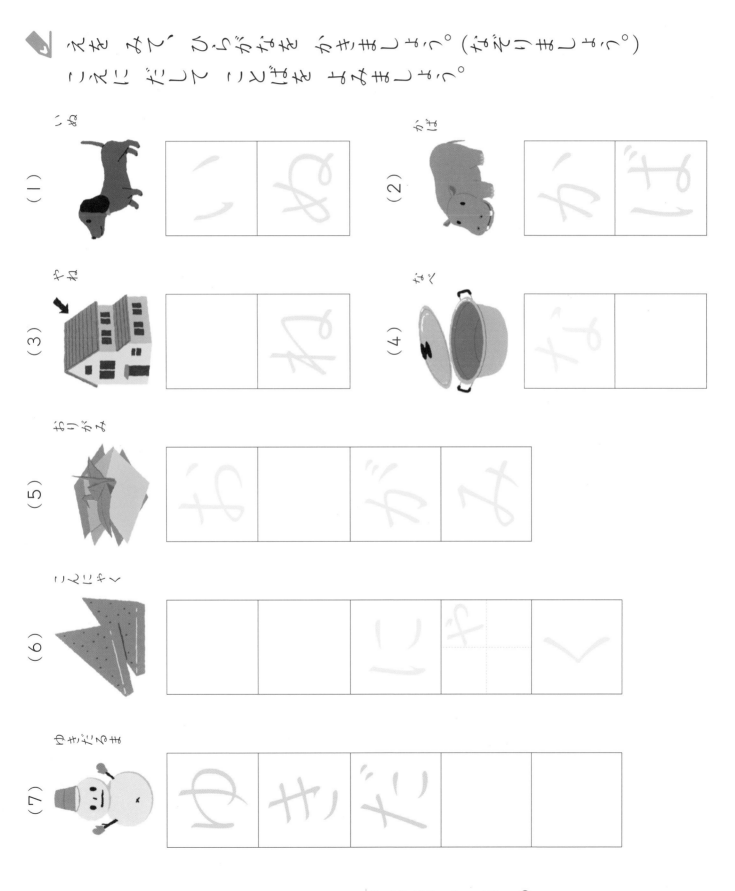

いぬ
（1）

かば
（2）

やね
（3）

なべ
（4）

おりがみ
（5）

にんじん
（6）

ゆきだるま
（7）

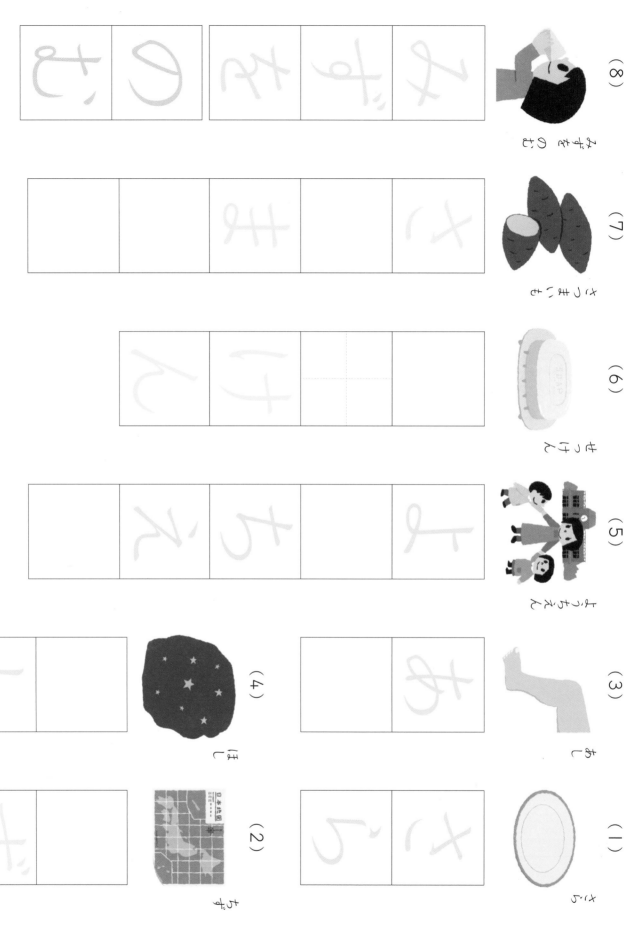

えを みて、□に ひらがなを かきましょう。□は ぜんぶ かけたら シールを はりましょう。（まんなかの めもりに あわせて かきましょう。）

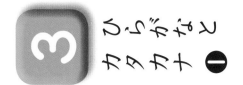

# 3 ひらがなと カタカナ ❶

がつ　にち　なまえ

おうちのかたへ

線結びをしながら、カタカナの学習に入っていきます。線結びのやり方がわからずにお子さまがとまどっているようでしたら、おうちのかたが教えてあげてください。ことばを言い出しながら、線結びを楽しみましょう。

ことばを よみましょう。おなじ ことばを せんで むすびましょう。

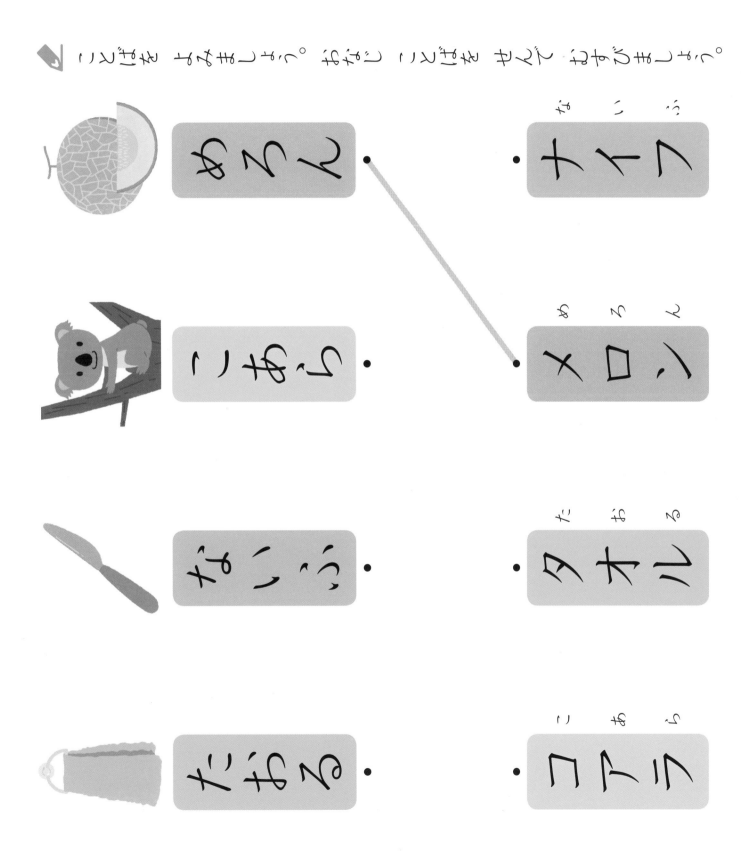

めろん ・ 　　　・ ナイフ

こあら ・ 　　　・ メロン

ないふ ・ 　　　・ タオル

たおる ・ 　　　・ コアラ

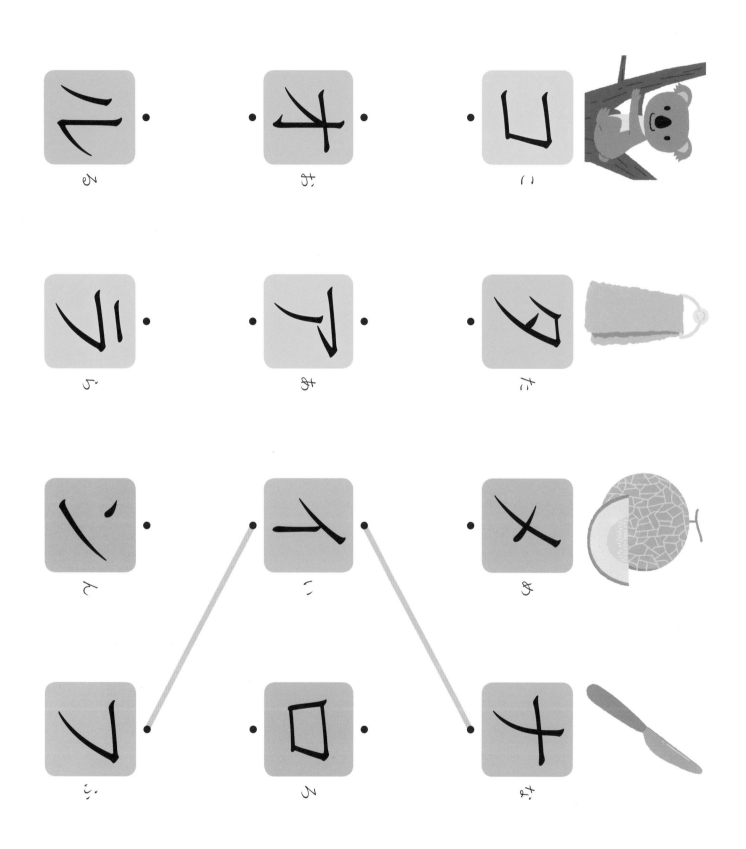

| が | にち | なまえ |
|---|---|---|
|  |  |  |

おうちのかたく

横のひらがなや、色も手がかりにしながら、同じことばを線で結びます。いちらん面下では、一文字ずつひらいて、ことばを作ります。ここでは、同じ音をひらがなとカタカナ、両方であらわせることや、カタカナと書くことばがあることに、遊びながら気づければよいでしょう。

✐ ことばを よみましょう。おなじ ことばを せんで むすびましょう。

 だいや ・

・ トマト （と き と）

 みるく ・

・ レモン （れ も ん）

 れもん ・

・ タイヤ （た い や）

 とまと ・

・ ミルク （み る く）

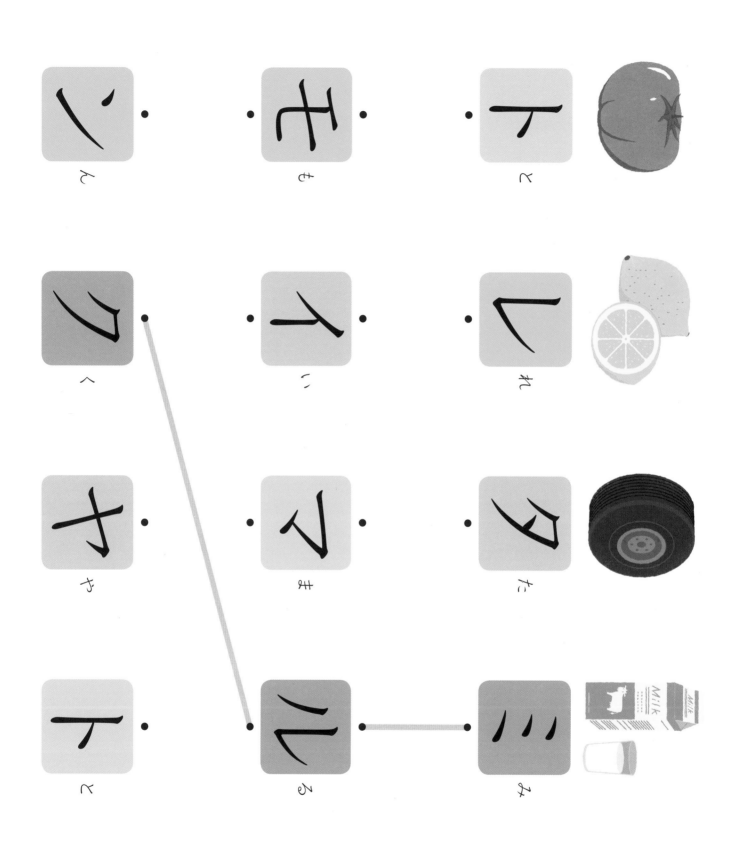

| が | にち | なまえ |
|---|---|---|
|   |   |   |

ねらい・かいせつ

書きやすいものから順に、カタカナを学習していきます。最初は形を覚えやすいよう、はらいのない書体を使用しています。また、「ノート」の「ー」(長音記号)はカタカナではじめて学習します。「ノート」「ソーセージ」とお子さまといっしょに書き出して読み、長音記号の読み方、使い方に少しずつなれていくようにしましょう。

## カタカナを なぞりましょう。
## こえに だして ことばを よみましょう。

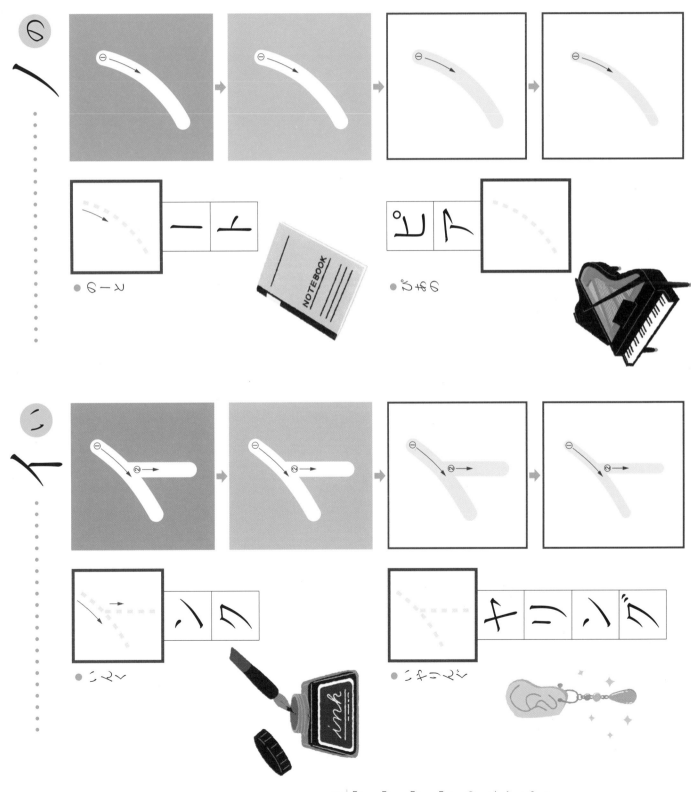

● のーと

● ぴあの

● いんく

● きーほるだー

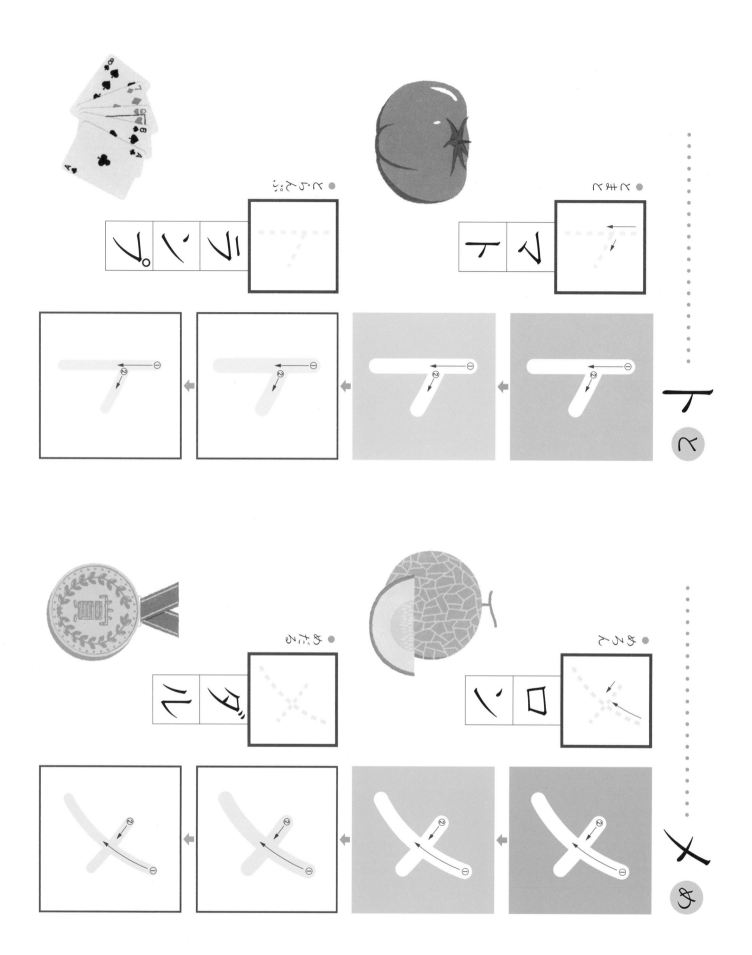

● てれび

● とまと

ト

● めだる

● めろん

メ

▶ カタカナを なぞりましょう。
いえに ある カタカナで はじまる ことばを あつめましょう。

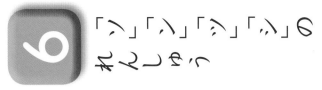

**6** 「ソ」「ン」「ツ」「シ」の れんしゅう

がつ　にち　なまえ

おうちのかたへ
「ソ」と「ン」、「ツ」と「シ」は形が似ており、書き分けるのが難しいカタカナです。「ソ」「ン」の2画目、「ツ」「シ」の3画目をなぞる向きを正しく練習できているか、見てあげてください。このあともくり返しなぞったり、書いたりしていきますので、じょじょに書き分けられるようになっていけばよいでしょう。

✎ カタカナを なぞりましょう。
　こえに だして ことばを よみましょう。

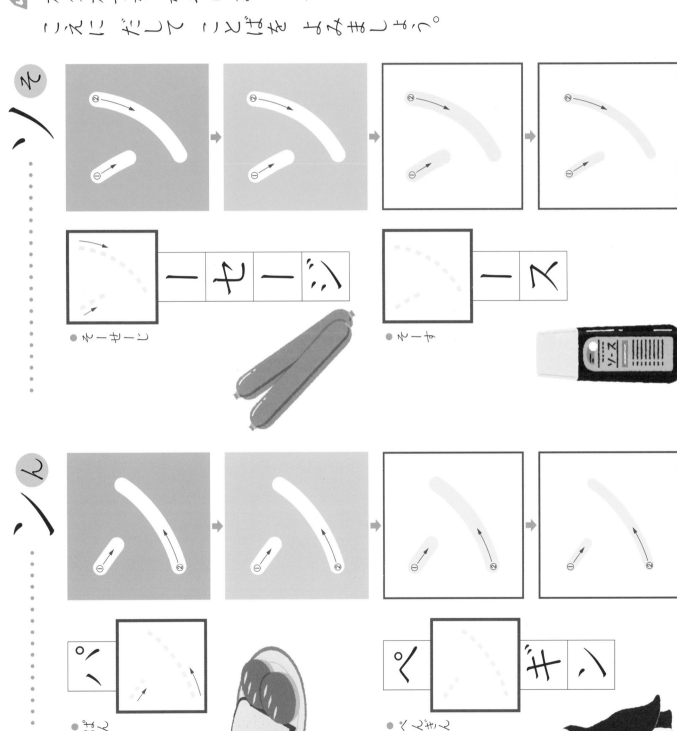

ソ

●ソーセージ

●ソース

ン

●ぱん

●ぺんぎん

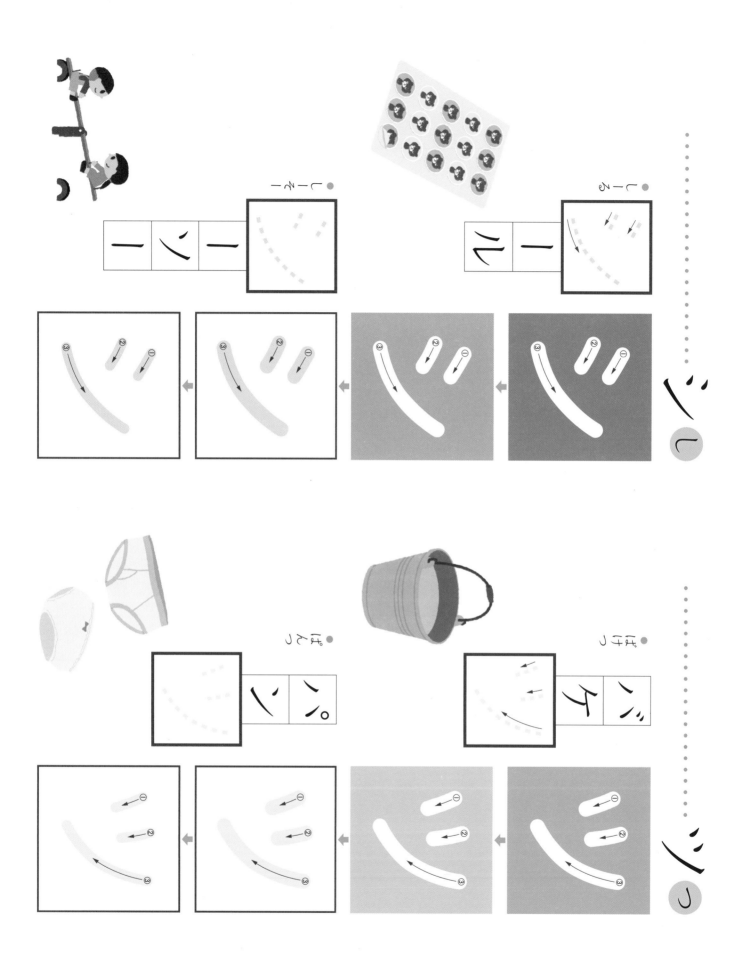

シーソー

ミルク

ほし

バケツ

カタカナを なぞりましょう。
あいている ところに ひらがなを かきましょう。

「シ」「ツ」「ソ」「ン」の かきかた。

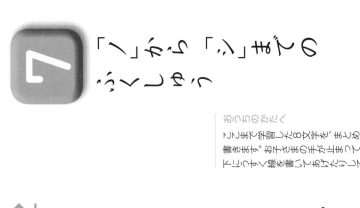

おうちのかたく

これまで学習した8文字を、まとめて練習します。ひだりうえから手をうごかすむきが分かりやすくなり、4回目は、自力でカタカナを書きます。お子さまの手が止まってしまったようでしたら、最初はおうちのかたが手をそえていっしょに書いてあげたり、下にうすく線を書いてあげたりしてもよいでしょう。書きおえたら「自分で書けたね！」とおおいにほめてあげましょう。

こえに だして よみながら
カタカナを なぞりましょう。（かきましょう。）

① ノ
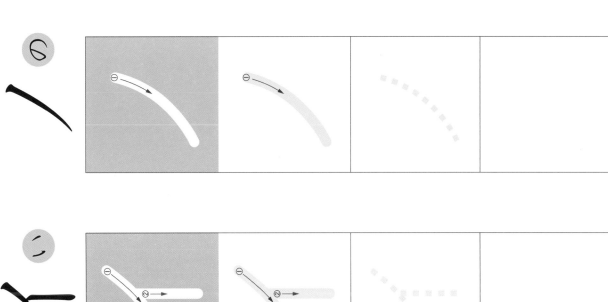

② ン

③ メ

④ ト
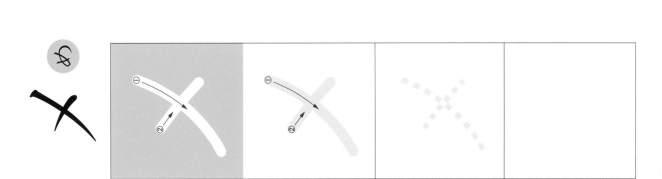

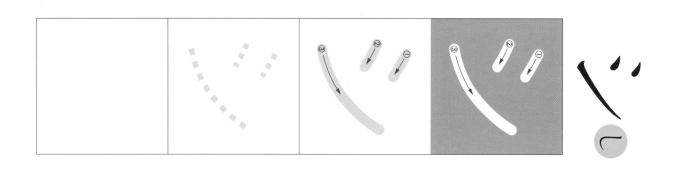

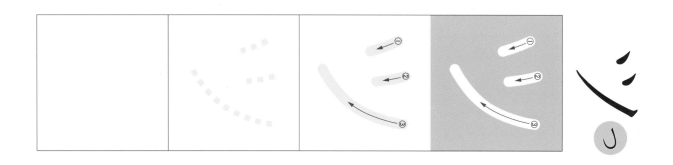

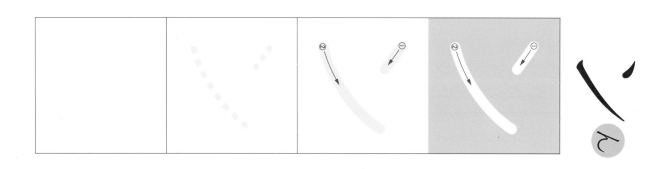

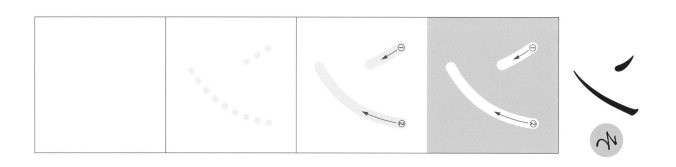

カタカナを なぞりましょう。（かきましょう。）

いえにある ものを みながら

「ン」から「ジ」までの ジュンに…

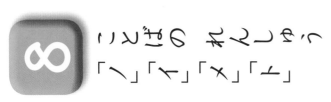

| なまえ | にち | がつ |
|---|---|---|

**おうちのかたく**

ここでは、小学校の教科書で使われる書体に近いカタカナをならいます。はねやはらいは、しょうにもつにたがって書けるようになっていけばよいでしょう。白いマスに自分でカタカナを書く練習は、難しく感じるかもしれません。ひとつ前のことばのなかでならった字をお手本にして書くように、声をかけてあげてください。

✏ ひらがなと おなじ よみの カタカナを なぞりましょう。

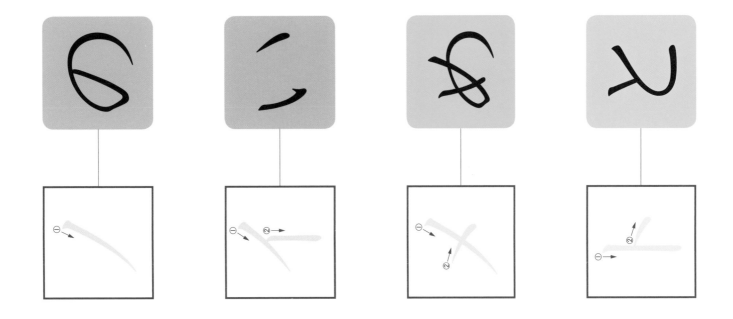

✏ えを みて カタカナを かきましょう。(なぞりましょう。)
こえに だして ことばを よみましょう。

（１）
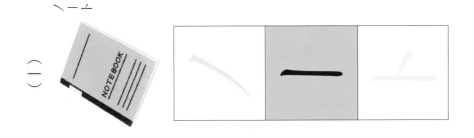

（２）
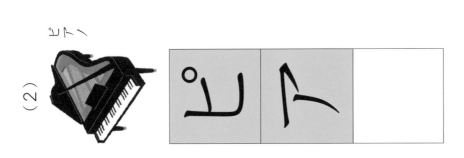

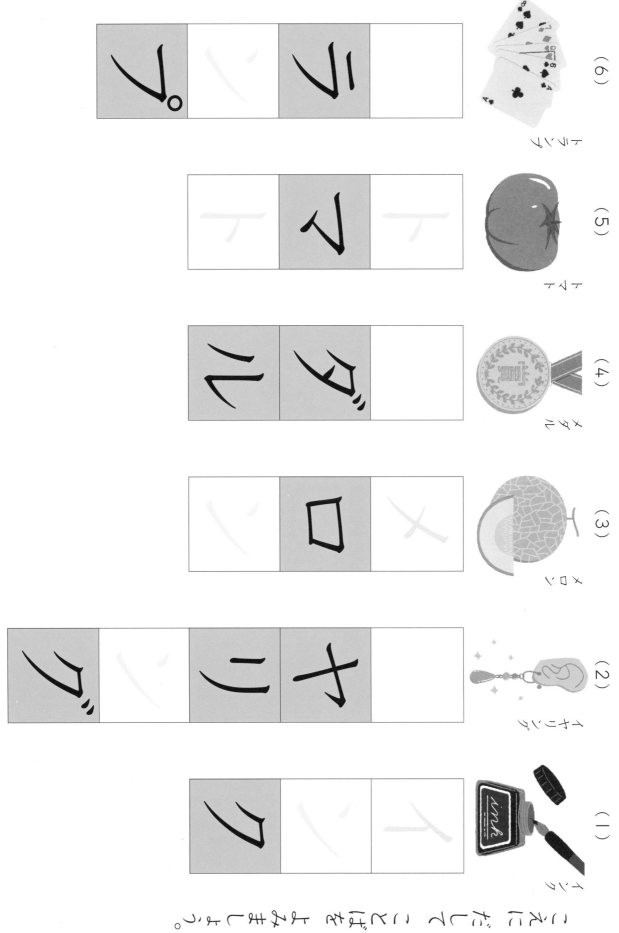

えを みて カタカナを かきましょう。（なぞって から かきましょう。）

（1）インク

□ン□

（2）キーホルダー

キー□ルダー

（3）メロン

メ□ン

（4）メダル

メダル

（5）トマト

トマト

（6）トランプ

トランプ。

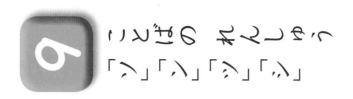

| なまえ | にち | がつ |
|---|---|---|
|  |  |  |

おうちのかたへ

1文字ずつを単独で覚えるよりも、「ソーセージの ソ」「ペンの ン」とことばのなかで覚えることで、学習がらくになります。書くだけでなく、ことばを声に出して読みましょう。読む力は書く力の土台になります。くもんの「カタカナカード」などをもちいて、カタカナのことばに親しむことも、読む力をのばすおすすめの方法です。

✎ ひらがなと おなじ よみの カタカナを なぞりましょう。

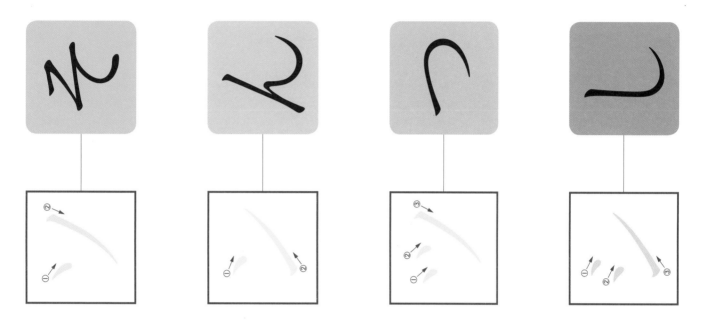

✎ えを みて カタカナを かきましょう。（なぞりましょう。）
こえに だして ことばを よみましょう。

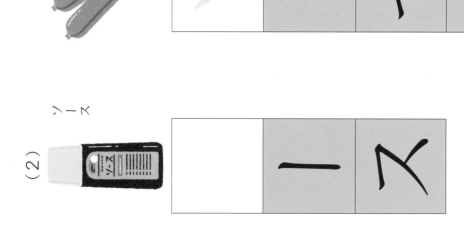

ソーセージ

(1)

| ― | セ | ― | ジ |
|---|---|---|---|

ソース

(2)

| ― | ス |
|---|---|

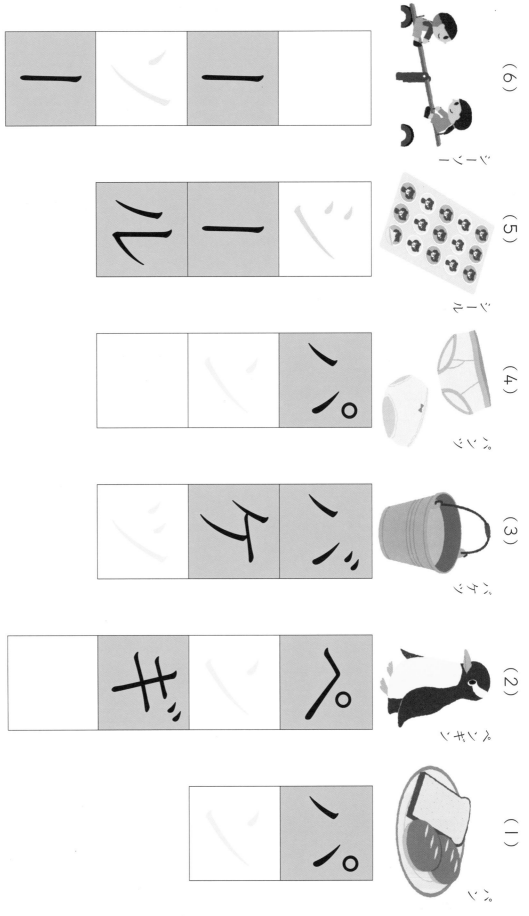

え を みて カタカナ を かきましょう。（なぞりましょう。）

（6）

（5）

（4）

（3）

（2）

（1）

カタカナの れんしゅう「ン」「ソ」「ツ」「シ」

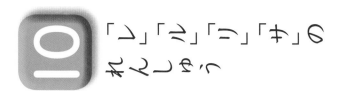

| がつ | にち | なまえ |
|---|---|---|
|  |  |  |

おうちのかたへ
「レ」や「ル」は、角を曲がる部分があります。運筆力(鉛筆を思いどおりに動かす力)が育ちきっていないお子さまにとって、鋭角の角を書くのはむずかしいことです。「レ」や「ル」をうまく書けるようになればよいでしょう。角でいったん止まってから向きを変えるよう、声をかけてあげると、曲がることを意識しやすくなります。

カタカナを なぞりましょう。
こえに だして ことばを よみましょう。

レ れ

モ ン

●れもん

タ ス

●れたす

ル る

テ ー ブ

●てーぶる

ト ン ネ

●とんねる

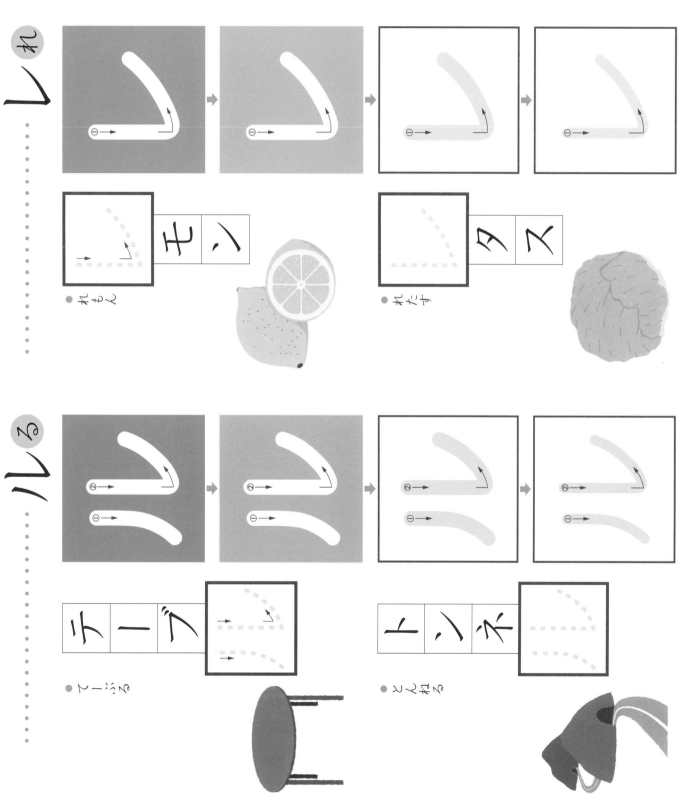

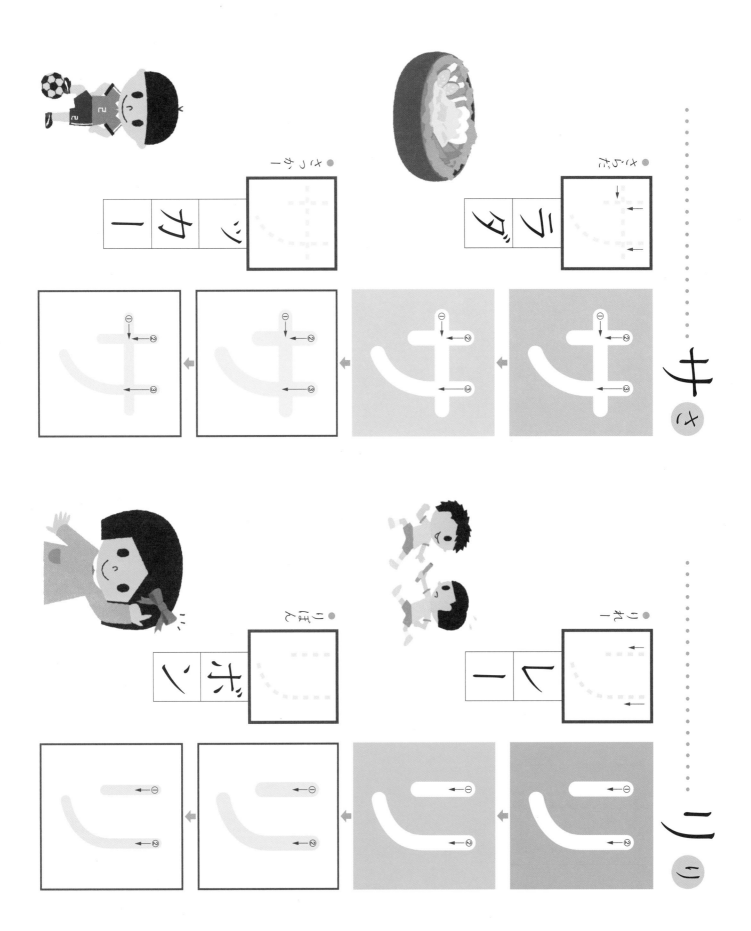

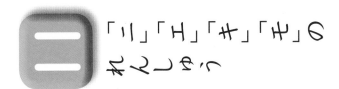

おうちのかたく

だんだんとカタカナの画数がふえていきます。①②③の順になぞるよう、声をかけてあげましょう。書き順は、意
識しながら何度も書くことで、しぜんに身についていくものです。もし書き順をまちがえて書いていても、無
理に書き直させたりせず、「次は①②③となぞれるかな」など、自分から意識できるようにしてあげましょう。

カタカナを なぞりましょう。
こえに だして ことばを よみましょう。

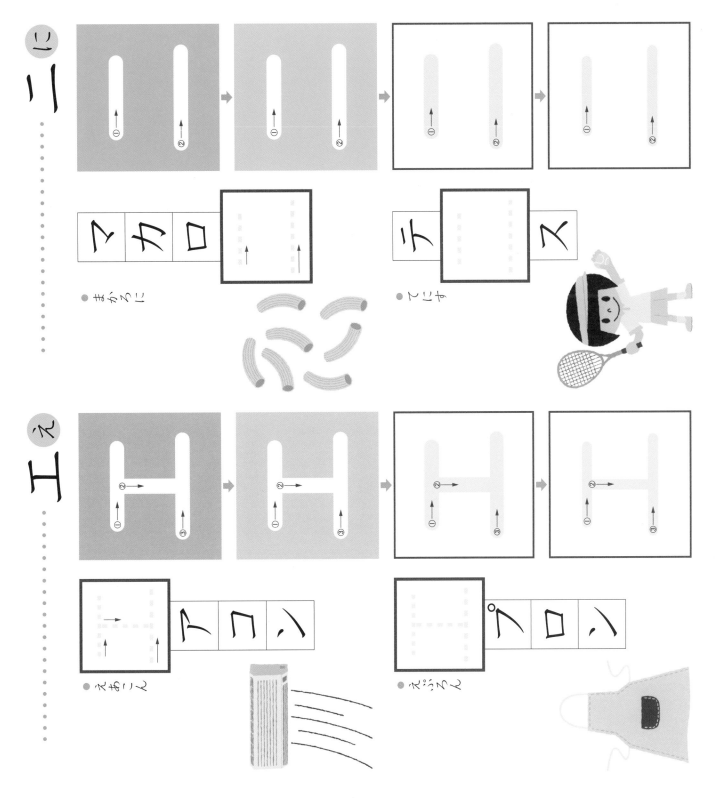

に

ニ

| ア | カ | ロ | | | テ | | ス |

● まかろに

え

エ

| | | ア | ワ | ノ |

● えおいん

| | | ° | ア | ロ | ノ |

● えぷろん

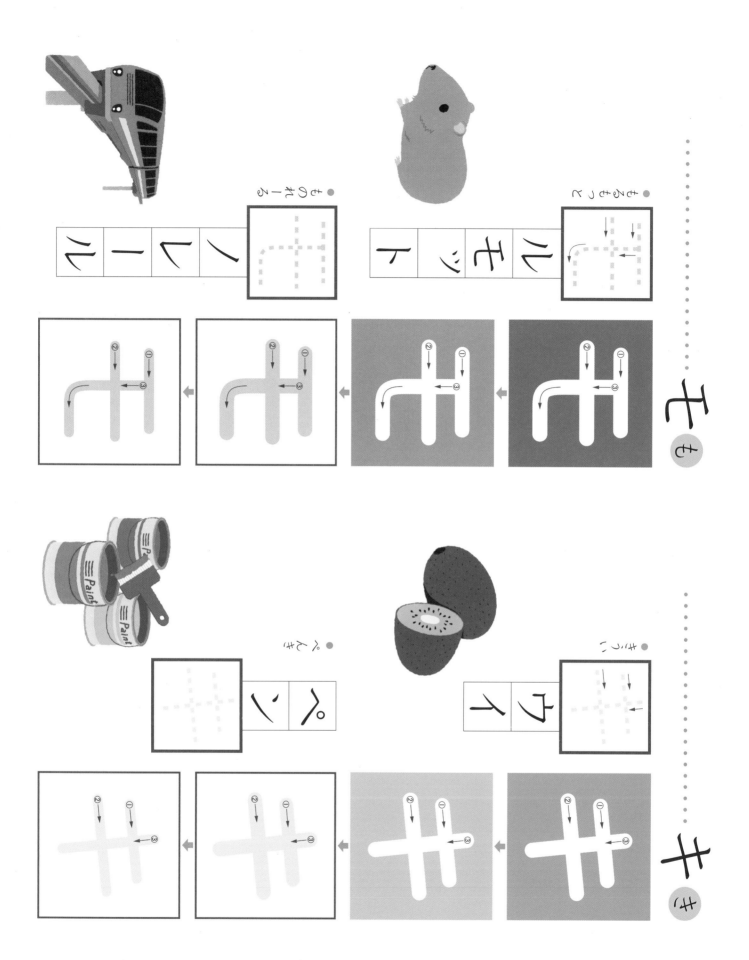

カタカナを なぞりましょう。
おぼえたら ますに かんじを かきましょう。

| がつ | にち | なまえ |
|---|---|---|
|  |  |  |

おうちのかた

読むことはできているけれど、線を引くのがむずかしい、筆圧が弱々しいという場合は、運筆力が足りないのかもしれません。くもんの幼児ドリルシリーズ「やさしいめいろ」などで、遊びながら運筆力をつけてあげましょう。鉛筆はお子さまの手の力に合っているでしょうか。2Bから6Bくらいの濃さが、幼児には適しています。

こえに だして よみながら
カタカナを なぞりましょう。(かきましょう。)

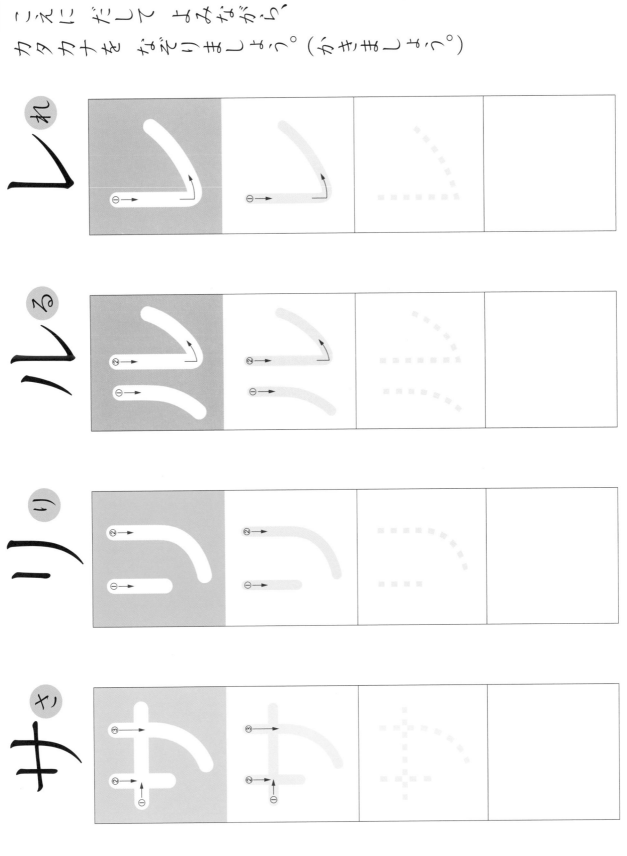

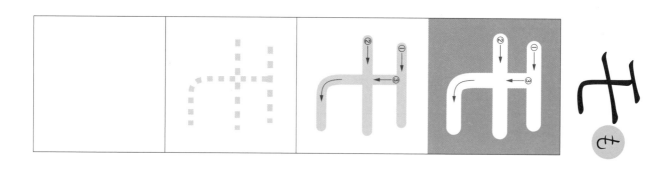

モ も

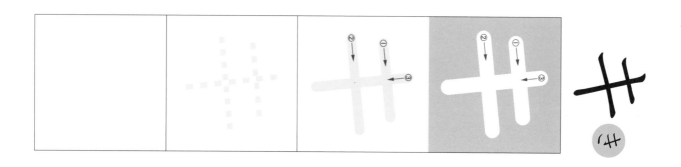

キ き

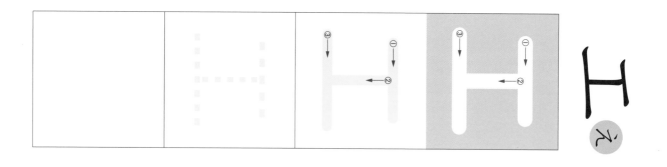

エ え

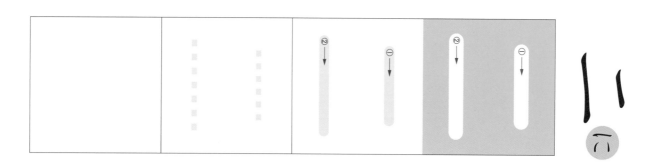

二 に

カタカナをなぞってみながら、カタカナをただしくかきましょう。（かけましたか。）

「ン」から「キ」「モ」じゅんに。

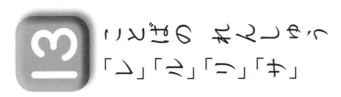

# 13 にた かたちの れんしゅう 「サ」「リ」「ル」「レ」

| かく | にち | なまえ |
| --- | --- | --- |

おうちのかたへ

きれいに書くためには、座る姿勢や紙をおさえる手も大切です。ノートの紙にそって、まっすぐに座り、鉛筆をもっていないほうの手で紙をおさえるように、みちびいてあげましょう。また、書くことに集中しているうちに、鉛筆のもち方をまちがえてしまうことがあります。表紙のうらにある写真を参考にして、もち直させてあげるようにしましょう。

✏ ひらがなと おなじ よみの カタカナを なぞりましょう。

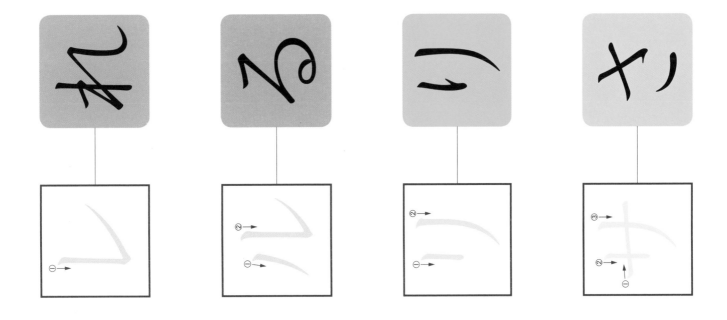

✏ えを みて カタカナを かきましょう。(なぞりましょう。)
こたえに だして ことばを よみましょう。

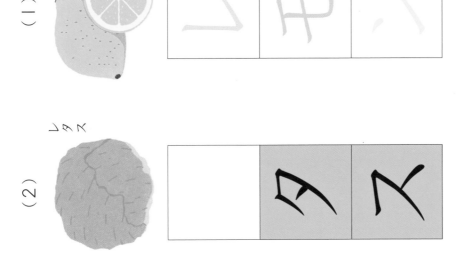

レモン

（1） レ モ ン

レタス

（2） レ タ ス

えを みて、□に カタカナを かきましょう。（なぞりましょう。）

(1) テーブル

(2) トンネル

(3) リレー

(4) リボン

(5) サラダ

(6) サッカー

なまえ
がつ　にち

おうちの方へ
カタカナの学習に入ると、ひらがなを忘れてしまったり、ひらがなとカタカナが混乱してしまうことはよくあることなので、あせる必要はありません。とくに「ニ」「エ」「サ」「モ」などは形が近く、混乱してしまいがちです。まちがってひらがなを書いてしまったら、「これはひらがなだね」と声をかけ、次は自分で気づけるようにうながしてあげましょう。

✐ ひらがなと おなじ よみの カタカナを なぞりましょう。

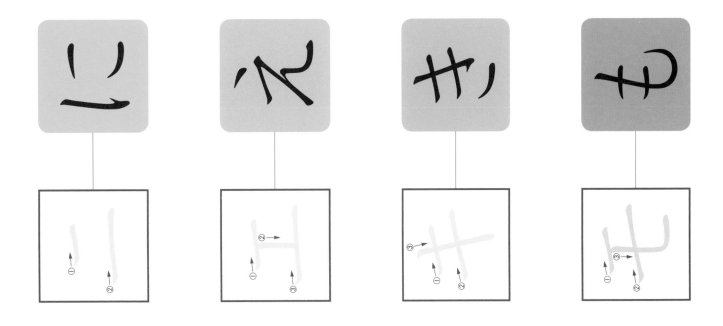

ニ　エ　サ　モ

✐ えを みて カタカナを かきましょう。（なぞりましょう。）
こえに だして ことばを よみましょう。

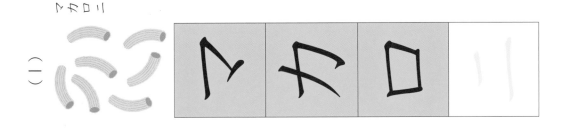

（1）マカロニ
マ　カ　ロ　ニ

（2）テニス
テ　　ス

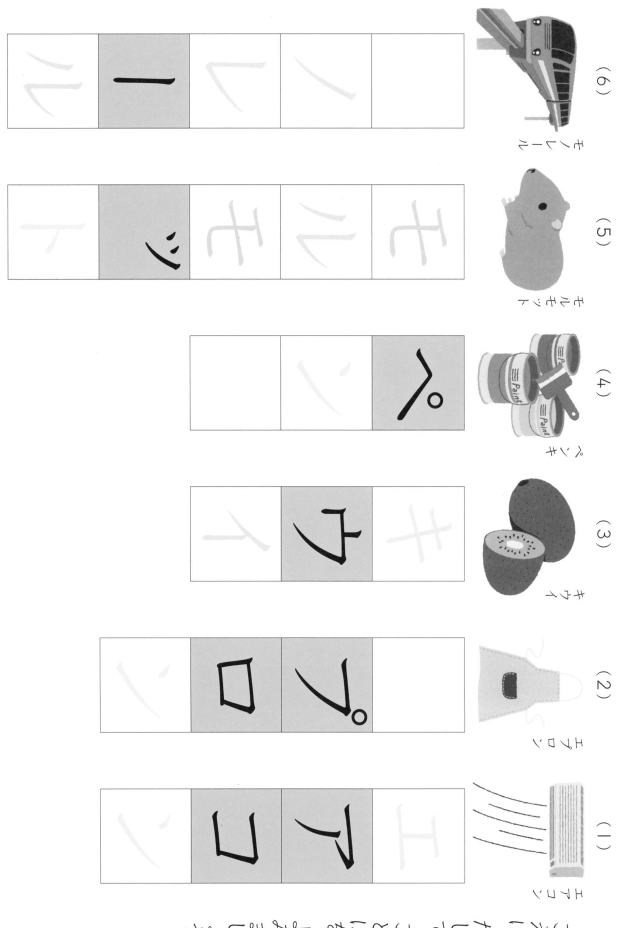

(1) エンピツ
(2) エプロン
(3) キウイ
(4) ペンキ
(5) モルモット
(6) モノレール

にち　がつ

なまえ

□の なかの カタカナを なぞりましょう。

| ア | カ | サ | タ | ナ | ハ | マ | ヤ | ラ | ワ |
|---|---|---|---|---|---|---|---|---|---|
| イ | キ | シ | チ | ニ | ヒ | ミ | (イ) | リ | (イ) |
| ウ | ク | ス | ツ | ヌ | フ | ム | ユ | ル | (ウ) |
| エ | ケ | セ | テ | ネ | ヘ | メ | (エ) | レ | (エ) |
| オ | コ | ソ | ト | ノ | ホ | モ | ヨ | ロ | ヲ |
| ン | | | | | | | | | |

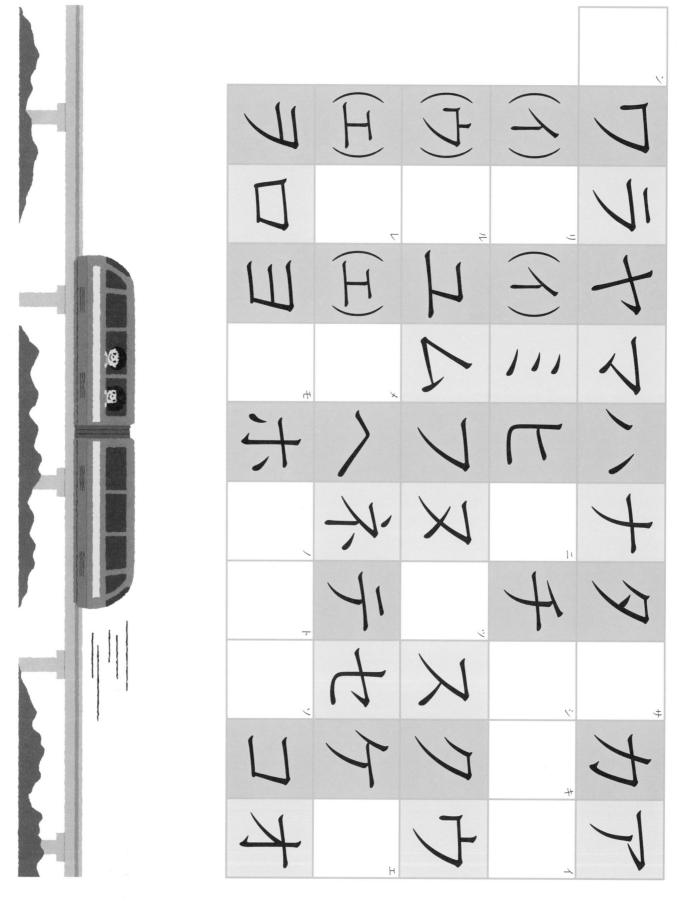

□に はいる カタカナを かきましょう。

● あとめ 「ン」から 「カ」まで

| なまえ | にち | がつ |
|---|---|---|
|  |  |  |

カタカナを なぞりましょう。
こえに だして ことばを よみましょう。

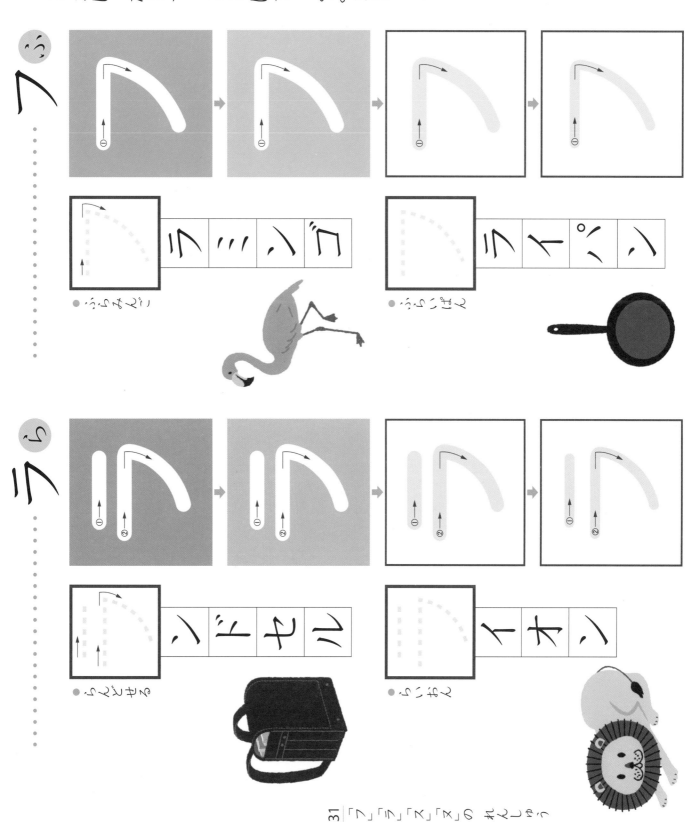

・ふらみんご

・ふらいぱん

・らんどせる

・らいおん

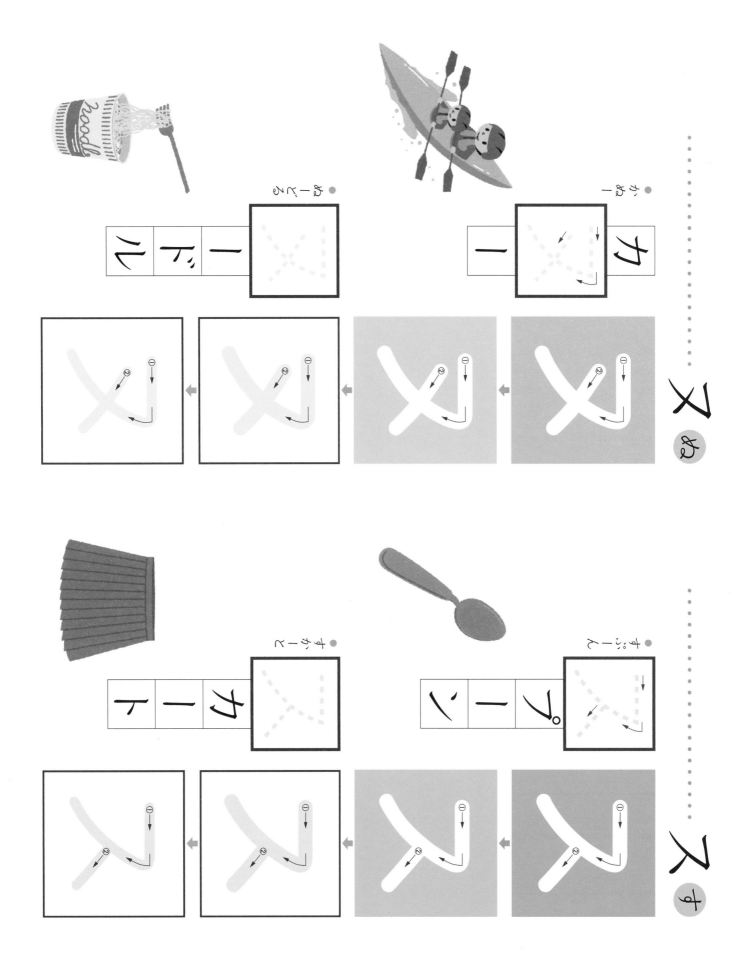

ス ぬ

ヌードル

カヌー

ス す

スカート

スプーン

カタカナを　なぞりましょう。
えんぴつで　なぞって　じょうずに　かけたら　いろを　ぬりましょう。

# 17 「ヘ」「ム」「く」「灬」の れんしゅう

おうちのかた

おこさまは、「ハンバーグ」の「バー」など、「ー」（長音記号）の読み方になれてきたでしょうか。なお、長音記号は、本来はひらがな表記ではもちいないものですが、本書ではおこさまの学習のしやすさを考え、ひらがなで「はんばーぐ」というよみがなをふっています。

カタカナを なぞりましょう。
こえに だして ことばを よみましょう。

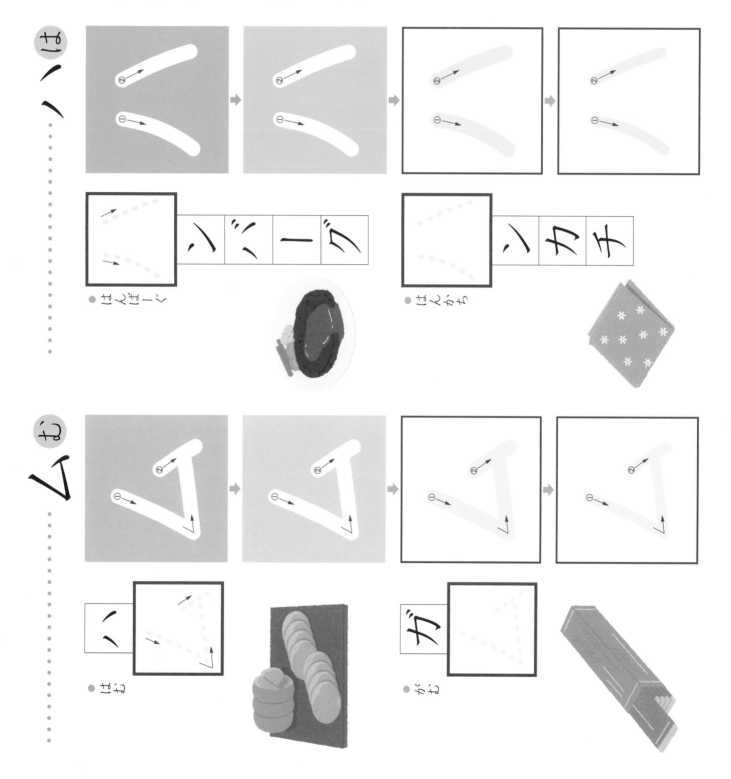

● はばーぐ

● はんかち

● はむ

● がむ

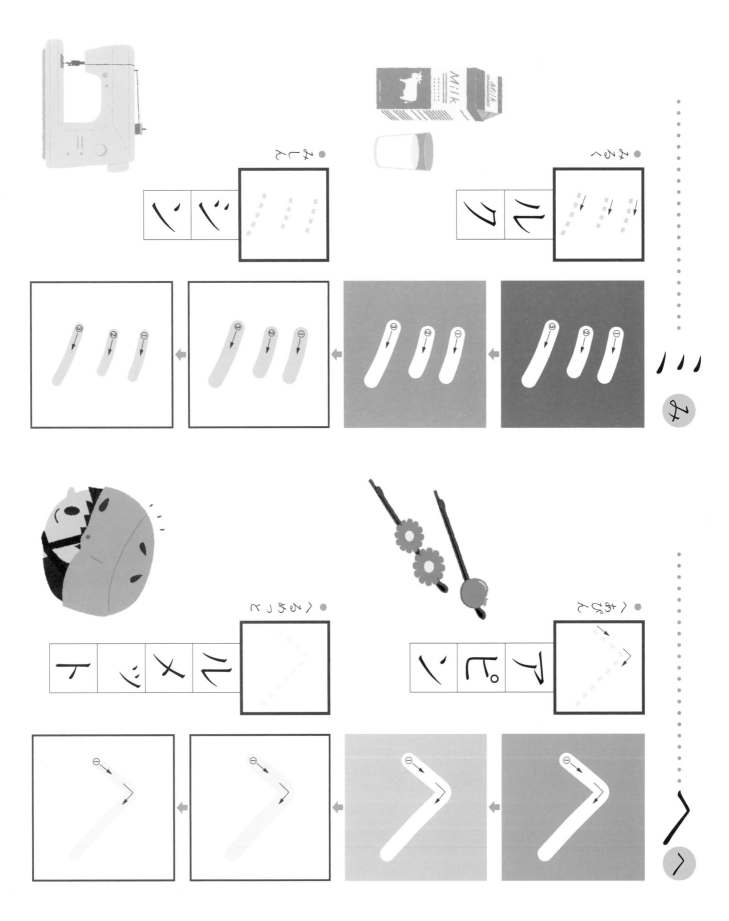

● みしん

● ミルク

● ヘルメット

● ペンギン

「ン」「ソ」「ミ」「ヘ」の かきじゅん

⚑ カタカナを なぞりましょう。
こえに だして、ことばを よみましょう。

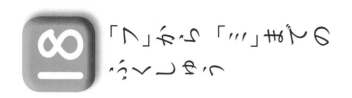

| なまえ | にち | がつ |
|---|---|---|
|  |  |  |

こえに だして よみながら
カタカナを なぞりましょう。(かきましょう。)

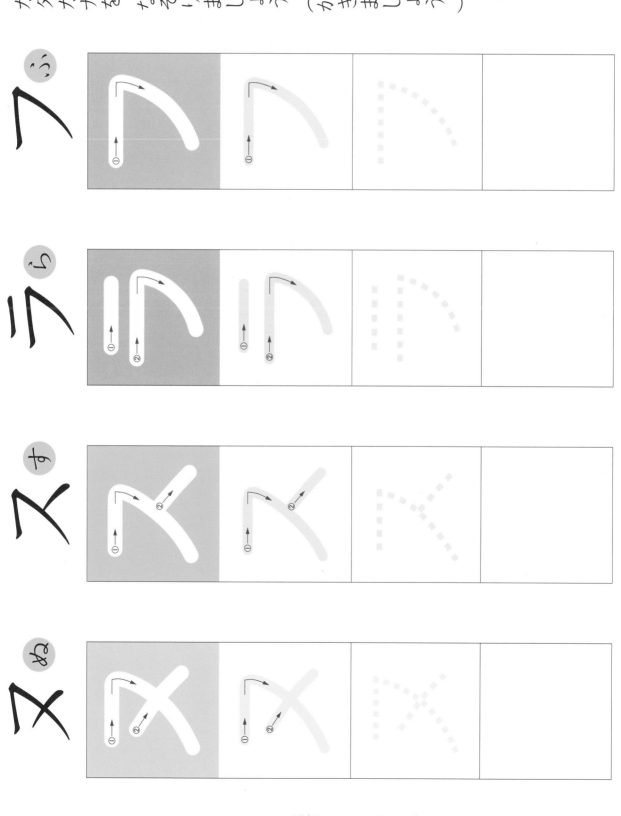

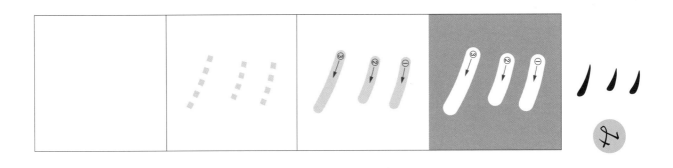

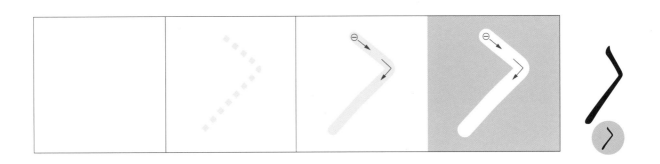

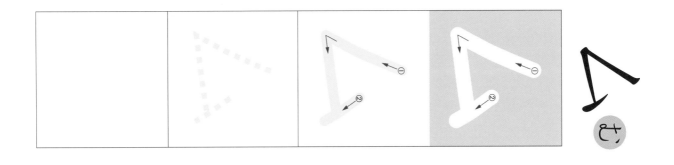

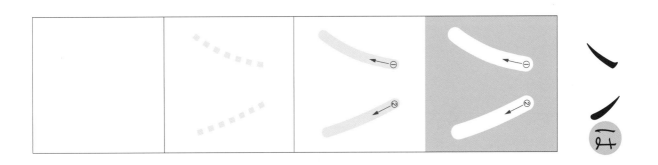

なぞって よみながら かいて みましょう。

おぼえて かきましょう。

「ノ」から 「ミ」までの ぶぶん。

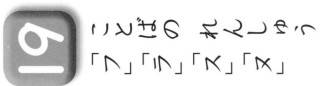

# 19 ことばの れんしゅう 「ン」「ソ」「ス」「ヌ」

| なまえ | にち | つき |
|---|---|---|
|  |  |  |

おうちのかたく
食べものから日用品まで、カタカナで書く外来語は身のまわりにあふれています。カタカナの学習とともに、外来語の語いが増えていくことで、ことばの世界は大きく広がります。知らないことばがあってお子さまがとまどっているようでしたら、おうちのかたが教えてあげてください。いっしょに図鑑や絵語辞典で調べてみてもよいでしょう。

✏ ひらがなと おなじ よみの カタカナを なぞりましょう。

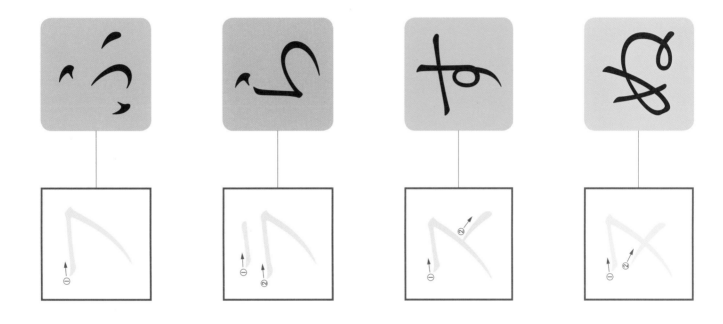

✏ えを みて カタカナを かきましょう。(なぞりましょう。)
　　こえに だして ことばを よみましょう。

フラミンゴ

(1)

フライパン

(2)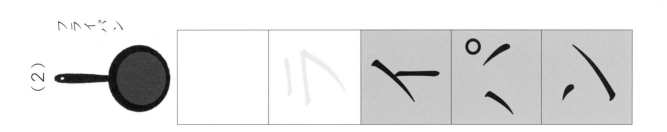

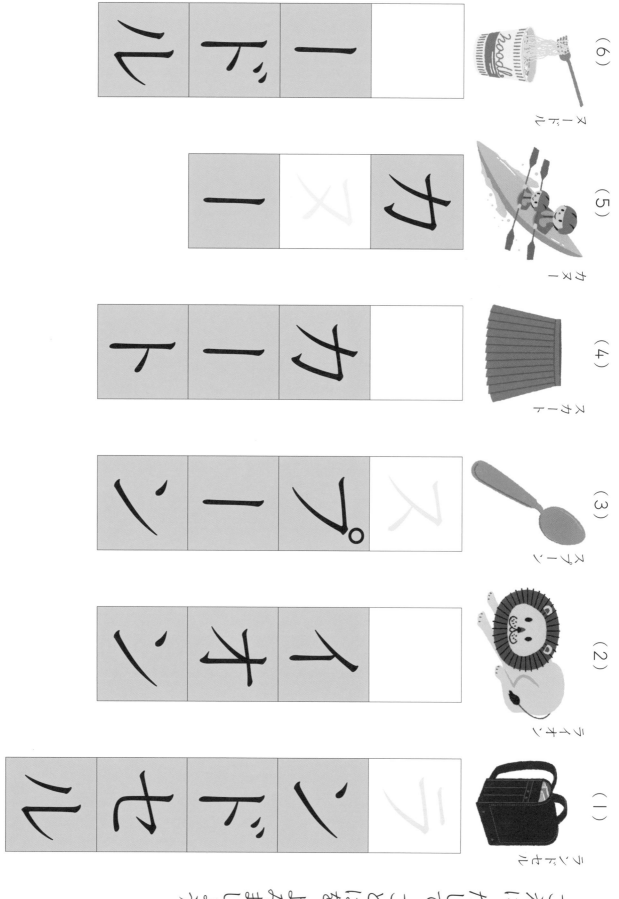

え を みて、あいて いる カタカナ を かきましょう。（なぞりましょう。）

(1) ラジオセル
(2) ライオン
(3) スプーン
(4) スカート
(5) カヌー
(6) ヌードル

さいしょの もじは 「レ」「ル」「リ」「ス」「ズ」

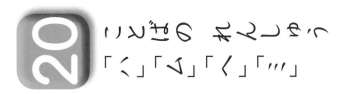

# 20 こえの れんしゅう 「ハ」「ヘ」「ク」「ミ」

がく　にち　なまえ

おうちのかたく

「ミ」の傾きが反対になるなど、鏡文字を書いてしまうのは、幼児にはよくある一時的なことなので、あせってすぐに直そうとする必要はありません。無理に書き直させると、やる気をそいでしまうこともあります。「形がちがうみたいだね」と声をかけ、となりに正しいカタカナを書いてあげるなど、少しずつうながしてあげましょう。

✎ ひらがなと おなじ よみの カタカナを なぞりましょう。

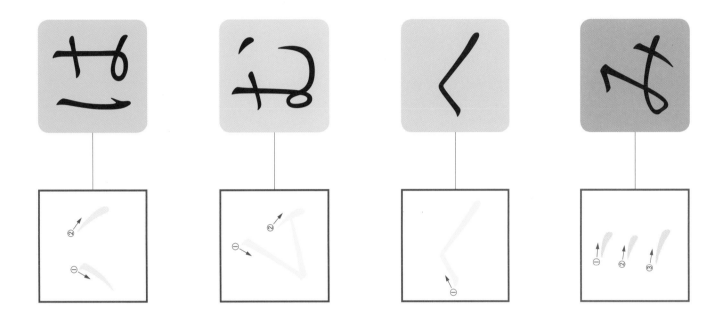

✎ えを みて カタカナを かきましょう。(なぞりましょう。)
　こえに だして ことばを よみましょう。

(1) ハンバーグ

(2) ハンカチ

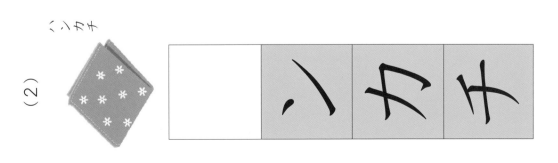

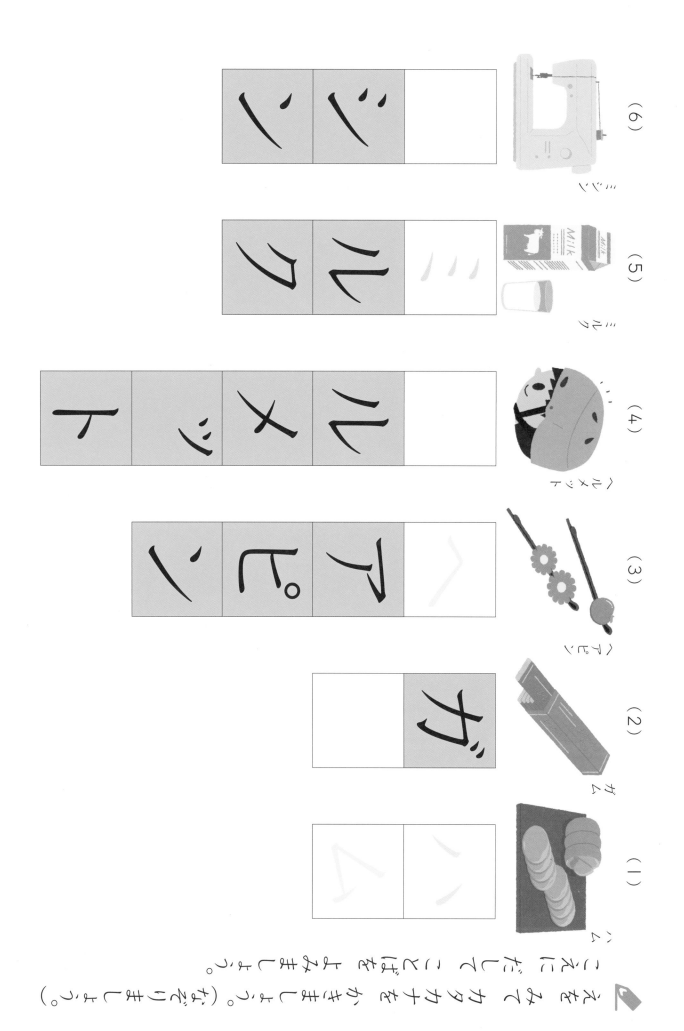

え を みて、だくてん、はんだくてん を かきましょう。(なぞりましょう。)

(1)

(2) ガム

(3) ヘアピン

(4) トイメル

(5) ミルク

(6) ミシン

「い」「り」のかたち　「ン」「ソ」「ヰ」「ン」「ナ」「メ」

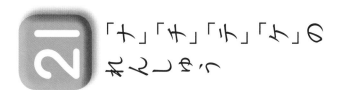

# 21 「ナ」「チ」「ヂ」「ケ」の れんしゅう

| がつ | にち | なまえ |
|---|---|---|
|  |  |  |

おうちのかたく
このドリルの学習も半分をすぎました。楽しく続けることを大切に、お子さまのペースで進めていきましょう。学習を習慣づけるには、「できたね」シールや巻末の表彰状を目標にしたり、「お誕生日までにおわるようにがんばろうか」「夏休みにここまでやろうね」など、少し先の目標をお子さまと話し合ったりするのもよいでしょう。

✏ カタカナを なぞりましょう。
　こえに だして ことばを よみましょう。

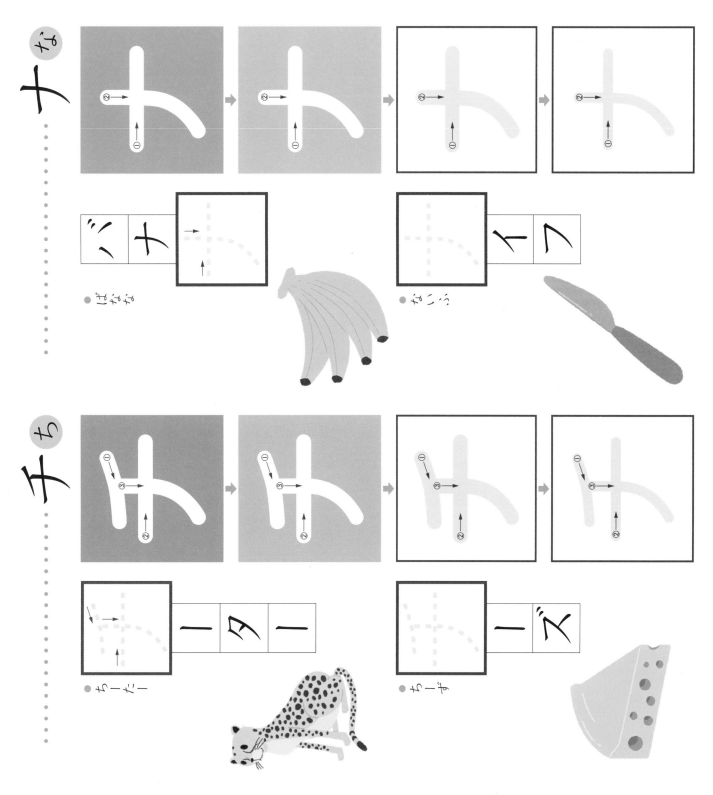

● ばなな

● ナイフ

● ちーたー

● ちーず

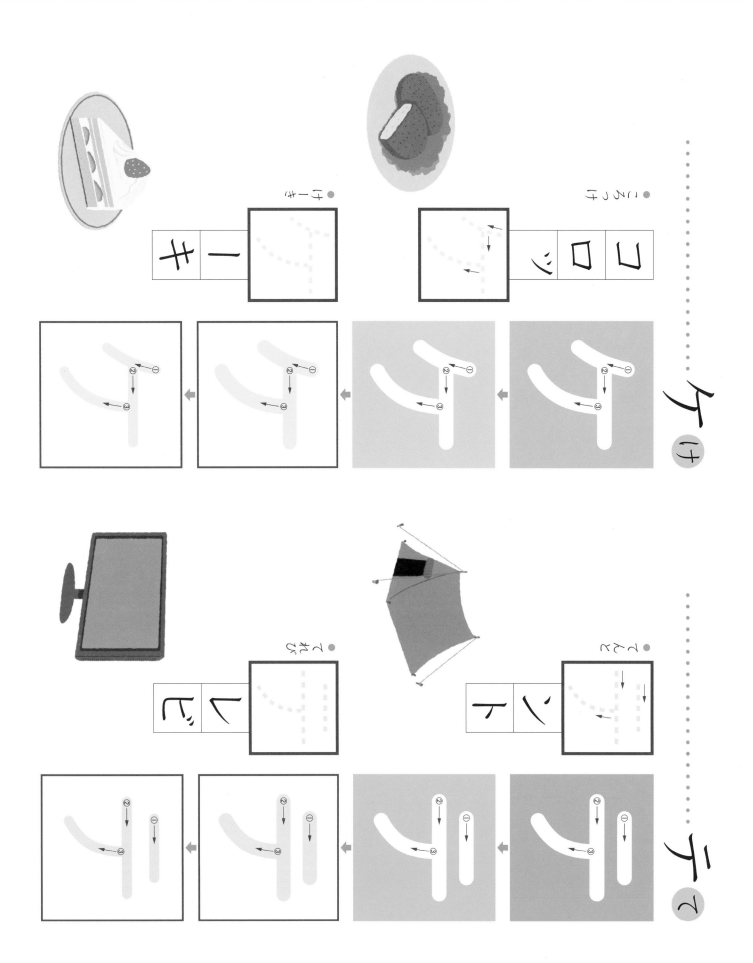

● キー

● こくご

ケ

● けしゴム

● たこ

テ

カタカナを なぞりましょう。
こえに だして はつおんも しましょう。

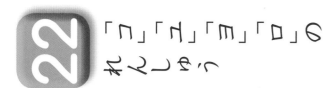

| なまえ | にち | がつ |
|---|---|---|
|  |  |  |

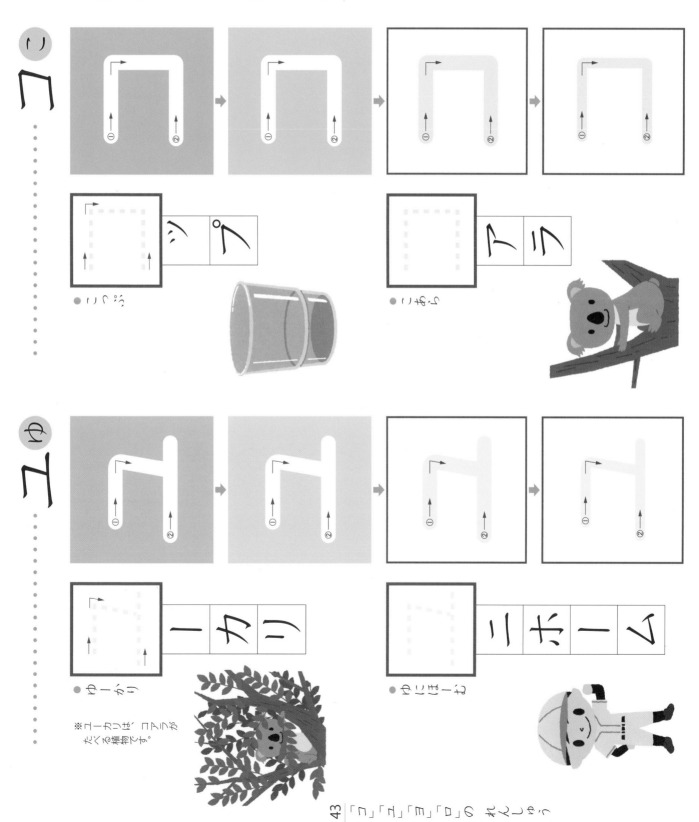

# 22 「ワ」「ユ」「ヨ」「ロ」の れんしゅう

✏ カタカナを なぞりましょう。
こえに だして ことばを よみましょう。

ワ

ウ ワ

● こっぷ

ア ラ

● コアラ

ユ

リ カ ユ

● ゆーかり

※ユーカリは、コアラが たくさん食べる植物です。

ム ー ホ ニ

● ゆにほーむ

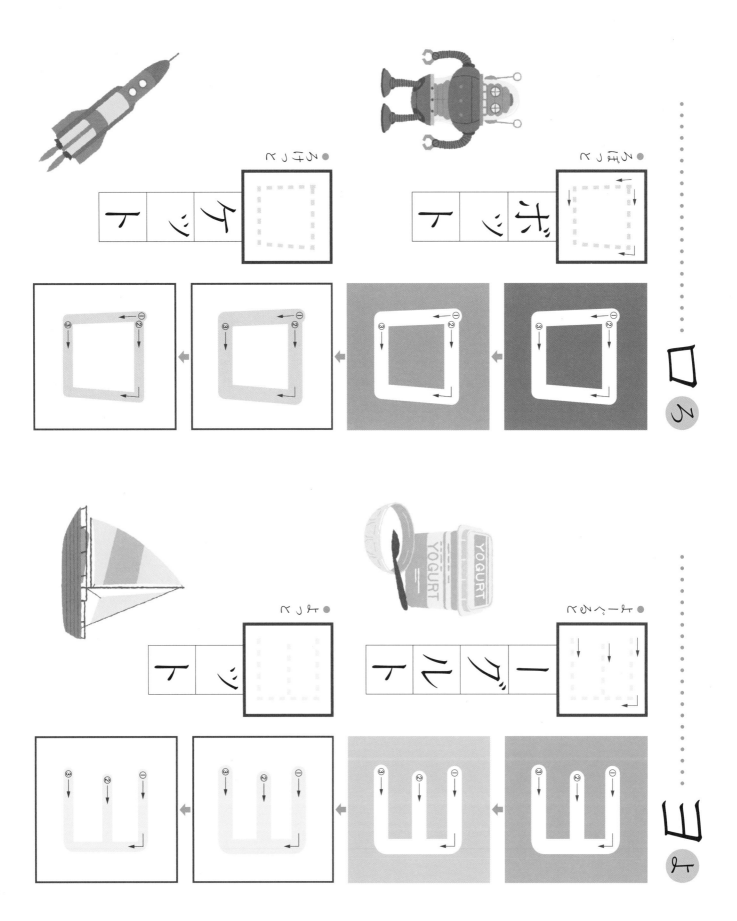

カタカナを なぞりましょう。
おなじように、リズムを みましょう。

● ロケット

● ロボット

● ヨット

● ヨーグルト

ヨ

ロ

44　「ン」「ソ」「シ」「ツ」「ロ」の れんしゅう

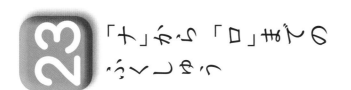

| なまえ | にち | がつ |
|---|---|---|
|  |  |  |

おうちのかたく

だんだんと形が複雑なカタカナが出てきていますので、自力で書くところは、とくに難しく感じるかもしれません。多少形が整っていなくてもかまいません。書きおわったらおおいにほめてあげ、「自分でカタカナが書けた！」という喜びを、次の学習につなげることが大切です。

✎ こえに だして よみながら
　カタカナを なぞりましょう。(かきましょう。)

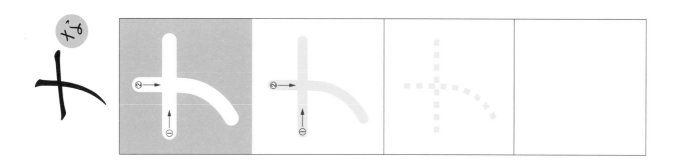

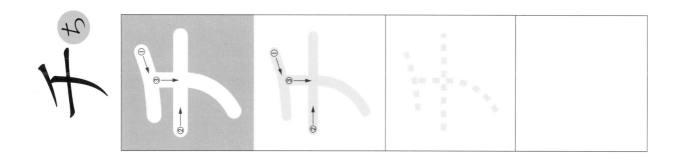

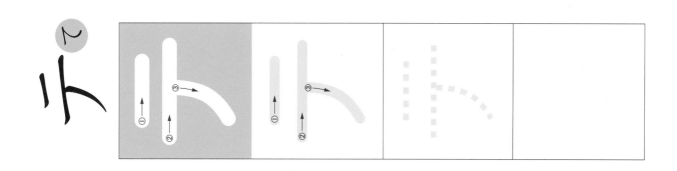

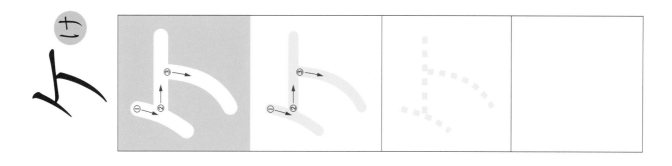

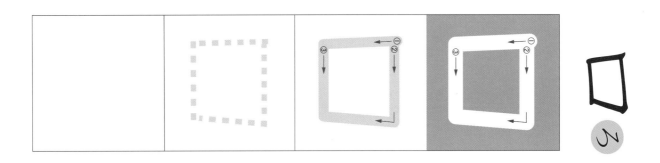

ロ 3

ヨ よ

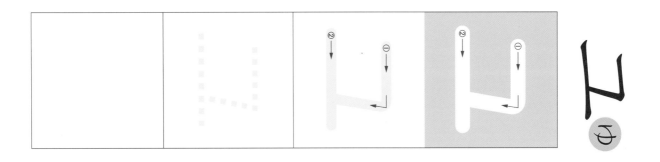

コ ゆ

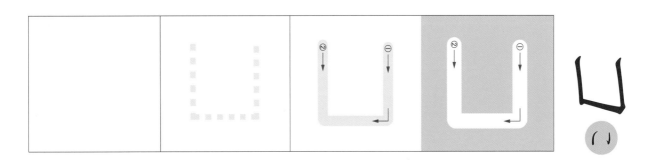

コ に

✎ いろを ぬって よみながら、カタカナを なぞりましょう。（かきましょう。）

「ナ」から「ロ」までの ジュンに。

| なまえ | にち | がつ |
|---|---|---|
|  |  |  |

おうちのかたへ

お子さまにとって、カタカナを何回もくり返し書き、形を覚えていくことは、たいへん難しく、集中力のいることです。1枚おわることにたくさんほめてあげましょう。1日1枚など、学習枚数を決めて、少しずつ続けることをおすすめしていますが、取り組みたくない日は無理をせず、お子さまのペースで進めてください。

✏ ひらがなと おなじ よみの カタカナを なぞりましょう。

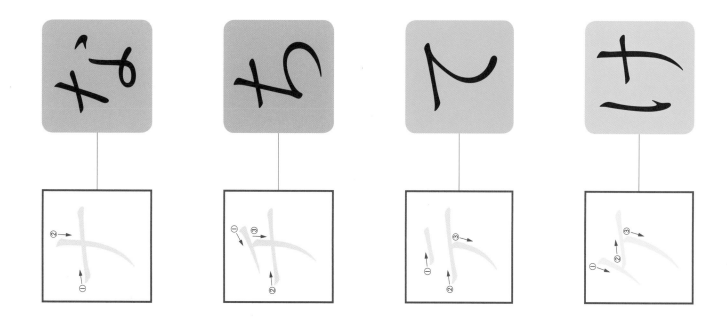

✏ えを みて カタカナを かきましょう。（なぞりましょう。）
　 こえに だして ことばを よみましょう。

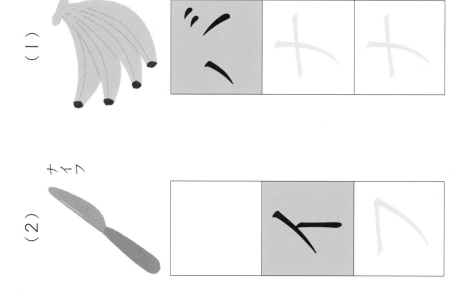

(1) バナナ

(2) ナイフ

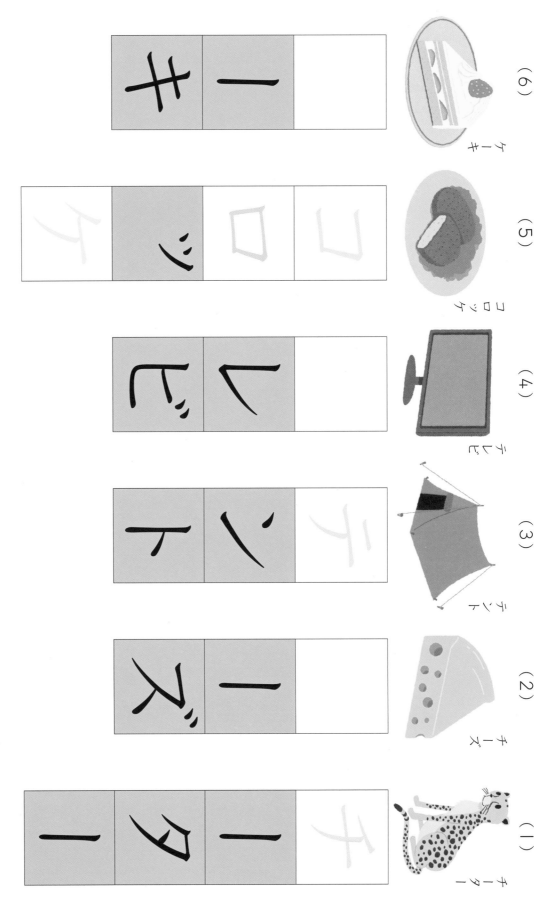

え を み て、ただしい カタカナを かきましょう。（にごる おとに なる ものは、てんてんを つけましょう。）

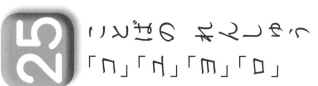

「ロ」「ユ」「ヨ」「ロ」

| か | にち | なまえ |
|---|---|---|
| | | |

おうちのかたく

覚えたカタカナがふえてくると、身のまわりや、街中で、知っているカタカナを見つけることも出てくるでしょう。お子さまが、自分でカタカナを見つけて読んだときは、おおいにほめてあげましょう。おうちのかたのほめことばが、お子さまに自信をつけさせ、もっとカタカナを学習したいという気持ちにもさせてくれるでしょう。

✎ ひらがなと おなじ よみの カタカナを なぞりましょう。

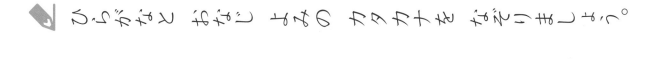

✎ えを みて カタカナを かきましょう。(なぞりましょう。)
こえに だして ことばを よみましょう。

（1） コップ

（2） コアラ

えを みて、カタカナを かきましょう。(なぞりましょう。)

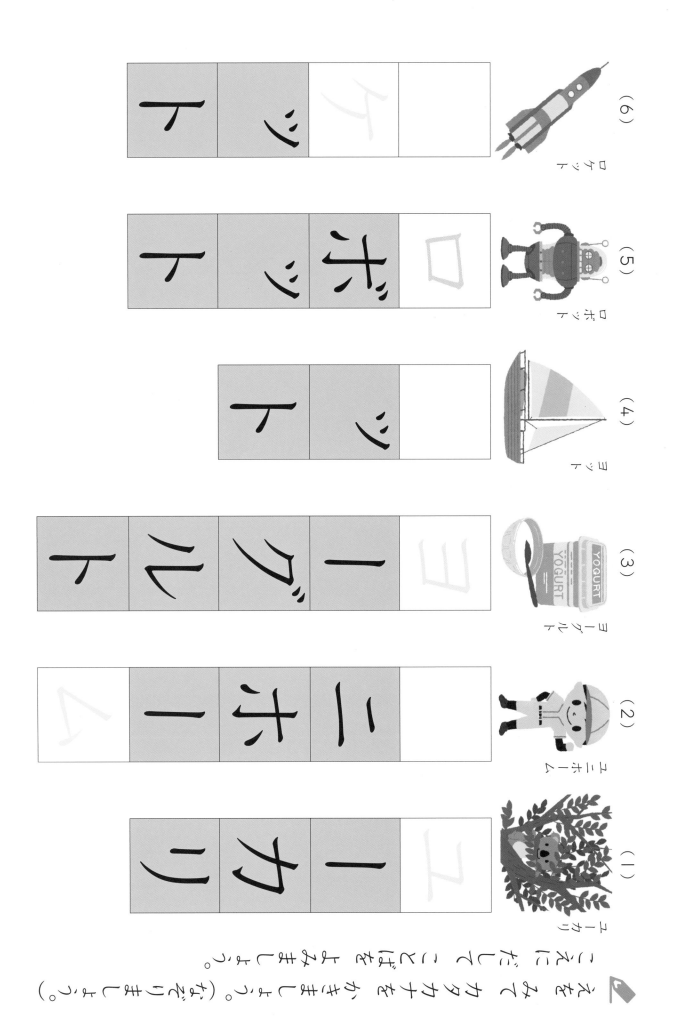

(1) コアラ

(2) ユニホーム

(3) ヨーグルト

(4) ヨット

(5) ロボット

(6) ロケット

✏ □の なかの カタカナを なぞりましょう。

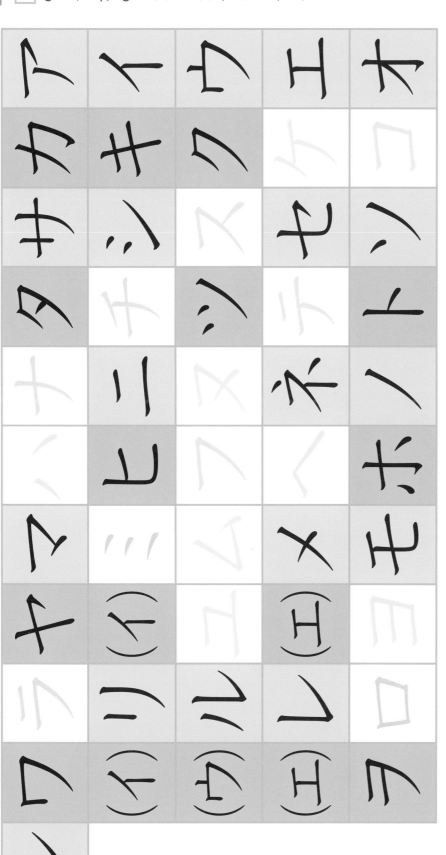

おうちのかたへ

ここまで学習した16文字を、もう一度書いてみましょう。50音表のなかで学習するとともに、それぞれのカタカナが50音表のなかのどこにあるかを覚えることも、大切なステップです。50音表をおうちの目に見える所にはり、いつでも書いたり読んだりして、ふだんからしたしめるとよいでしょう。ときどき声に出して読むこともよいでしょう。

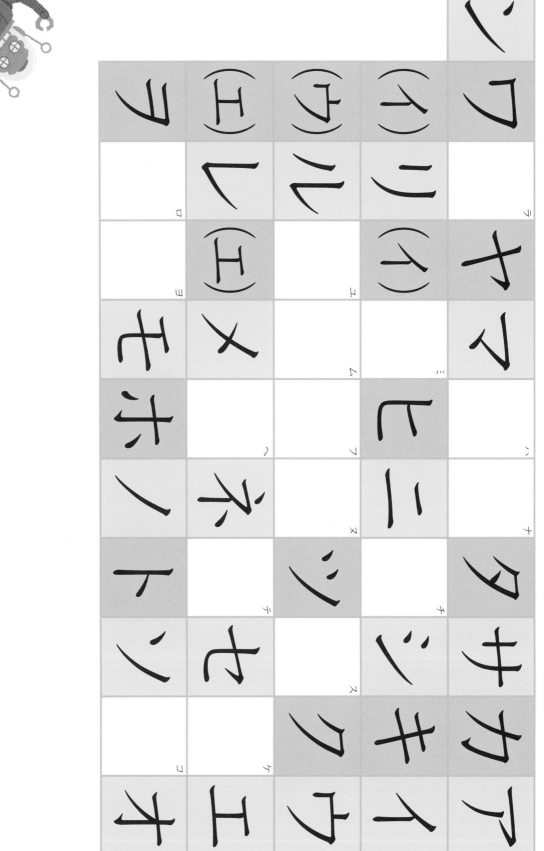

□に　はいる　カタカナを　かきましょう。

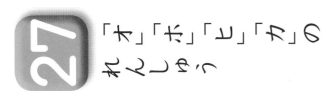

# 27 「オ」「ホ」「ヒ」「カ」の れんしゅう

| なまえ | | |
|---|---|---|
| | にち | |
| | がつ | |

カタカナを なぞりましょう。
こえに だして ことばを よみましょう。

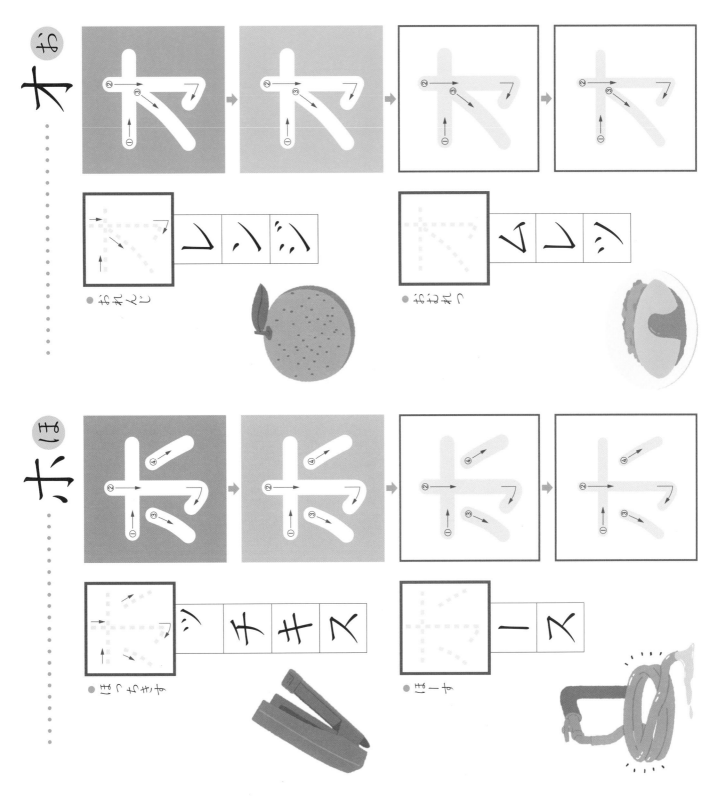

オ お

● オれんじ

● おなっ

ホ ほ

● ほっちきす

● ほーす

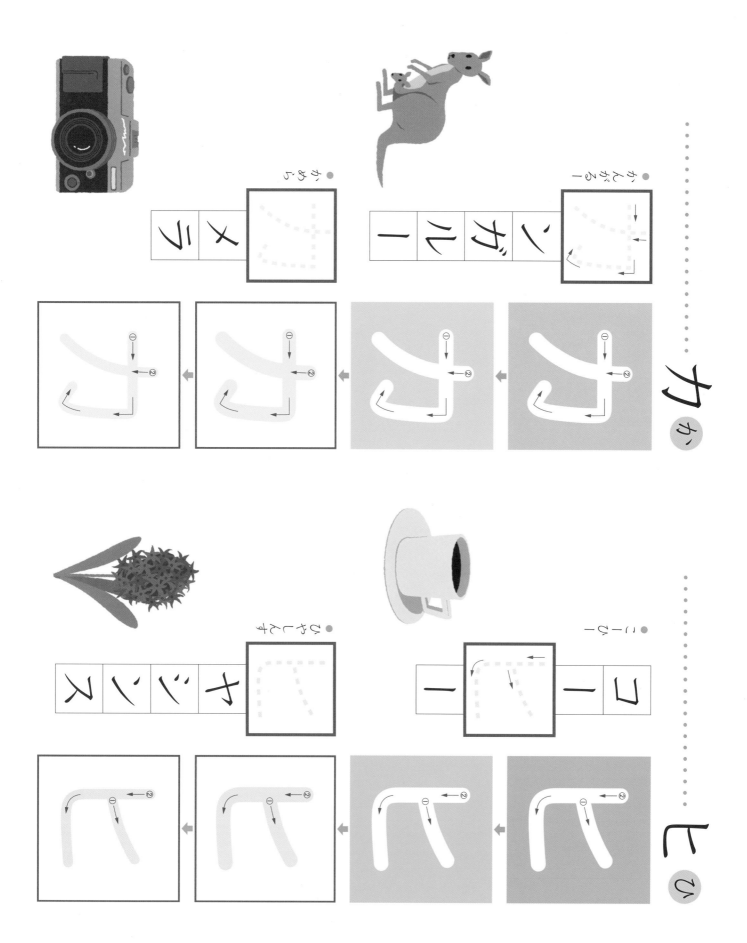

カ・か

かめら

カ メ ラ

かんがるー

ン ガ ル ー

ヒ・ひ

ひよこ

ヒ ー コ

ひいらぎ

キ ヒ゛ ス゛ ス

カタカナを　かきましょう。
こえに　だして　いいながら　かきましょう。

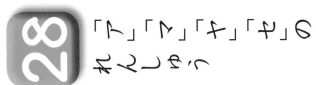

つき　にち　なまえ

おうちのかたく
「ア」と「イ」、「ヤ」と「マ」は形がちがく似ています。形をくらべながら、ていねいになぞりましょう。書く前に、お手本のカタカナを指でなぞってみるのもよい方法です。

✎ カタカナを なぞりましょう。
　こえに だして ことばを よみましょう。

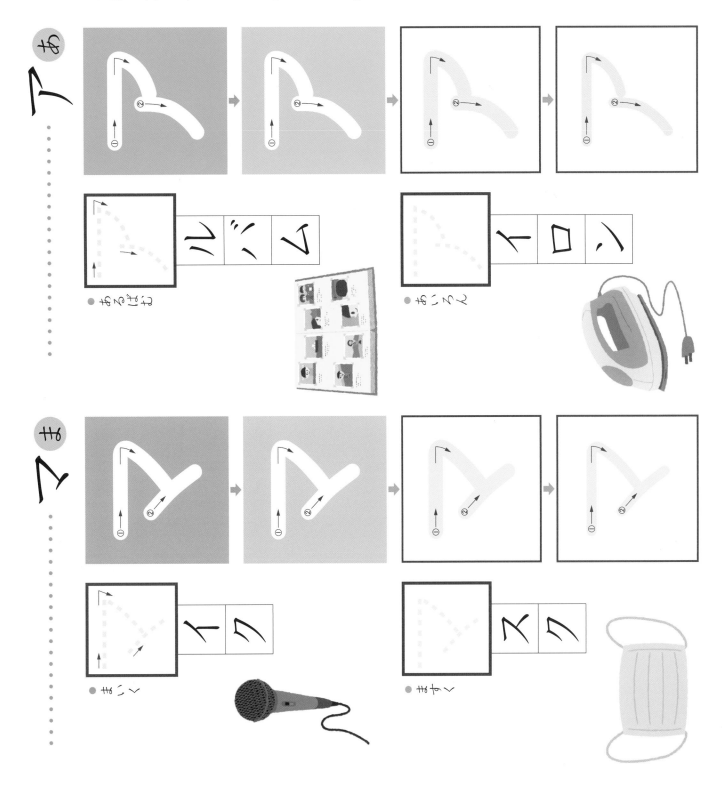

● あるばむ

● あいろん

● まいく

● ますく

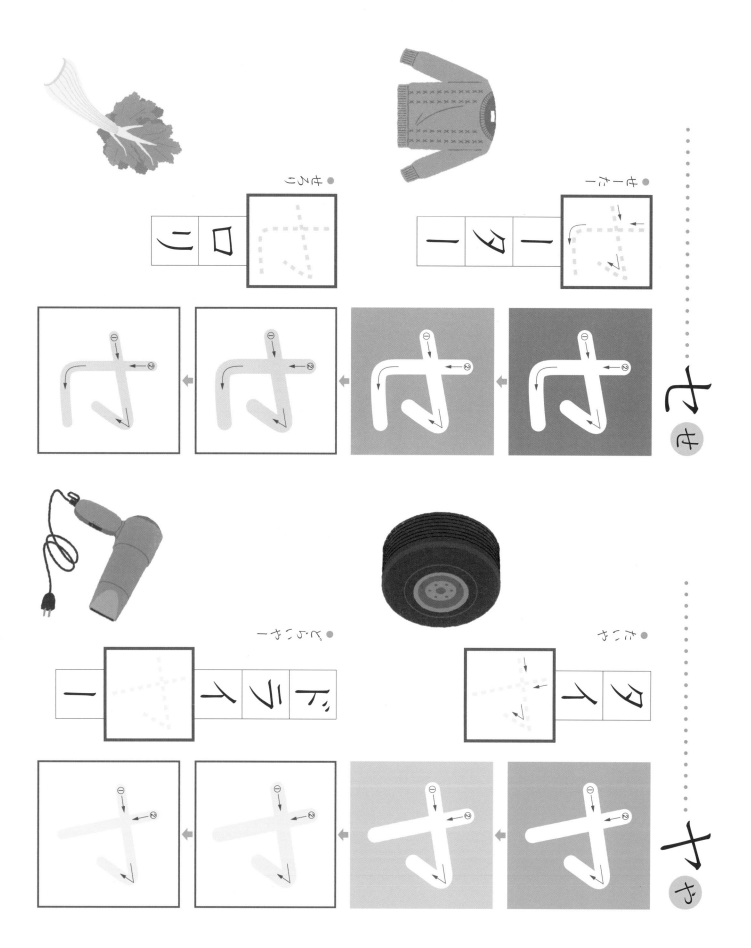

● セロリ

● セーター

せ

● タイヤ

● ドライヤー

な

カタカナを　なぞりましょう。

こえに　だして　ことばを　よみましょう。

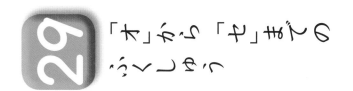

# 29 「オ」から「セ」までの ふくしゅう

| な<br>ま<br>え | にち | つき |
|---|---|---|
|  |  |  |

おうちのかたく

書き方の練習をもっとしたいという場合は、色鉛筆などを使って、1度書いたところをもう1度なぞらせてもよいでしょう。また、お子さまがくり返しなぞることに飽きてしまった場合に「きょうは色鉛筆を使って、すきな色で書いてみようか」といった提案をするのも、気分を変えて楽しい学習を続けるためのひとつの方法です。

✏ こえに だして よみながら
カタカナを なぞりましょう。(かきましょう。)

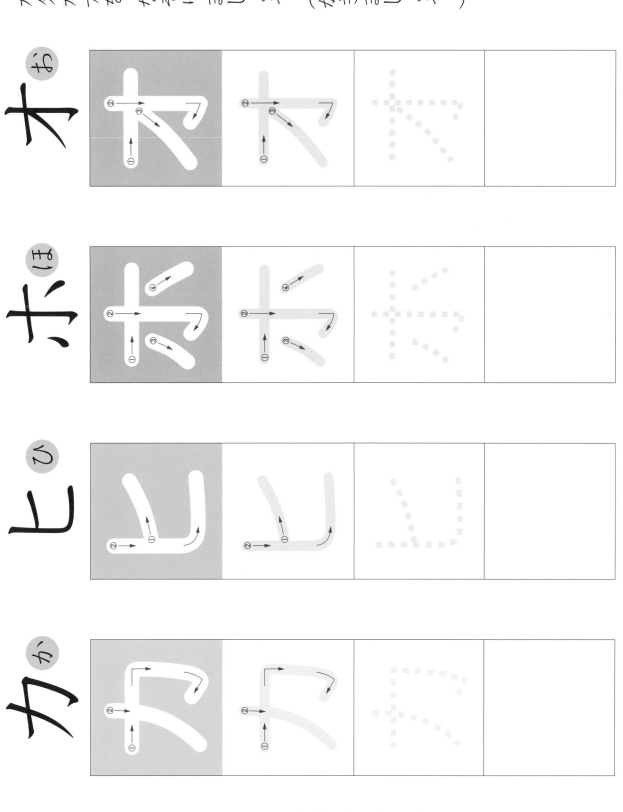

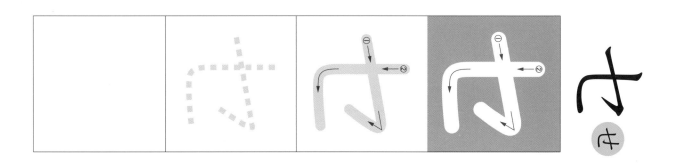

セ せ

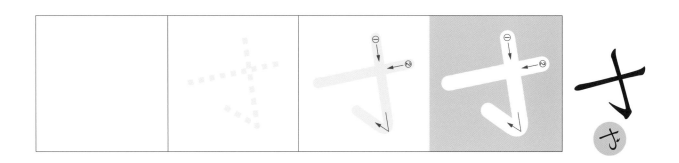

ヤ や

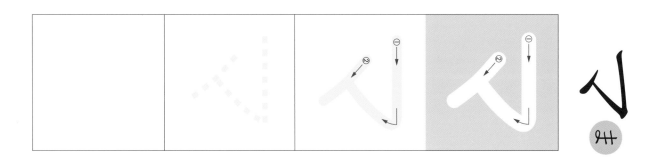

ヲ を

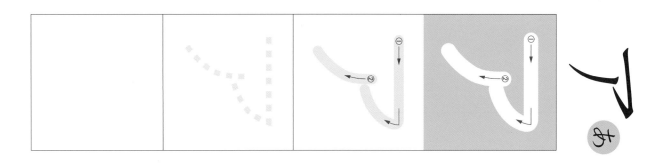

ア あ

▶ いえに でかけて みながら、カタカナを さがしましょう。(なにが いくつ あるかな。)

「オ」から「ヲ」までの ジャンプ

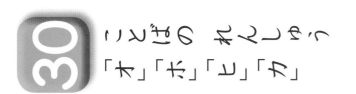

# 30 ことばの れんしゅう 「オ」「ホ」「ヒ」「カ」

おうちのかたく

「カ」というカタカナは「加」という漢字がもとになったように、カタカナは漢字の一部(または全部)が変化してできたものです。そのため、カタカナと漢字は、形に共通した部が多く、カタカナを身につけることは、漢字の学習にも役立ちます。

✏ ひらがなと おなじ よみの カタカナを なぞりましょう。

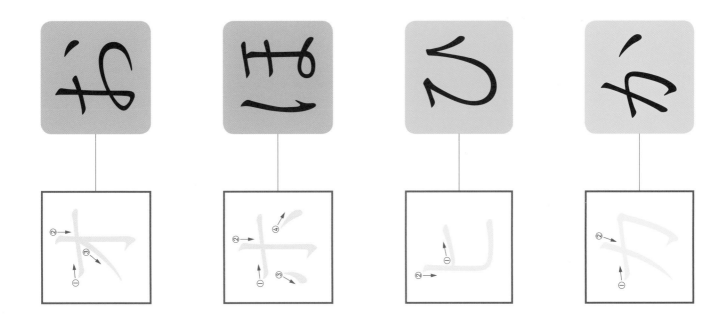

✏ えを みて カタカナを かきましょう。(なぞりましょう。)
こえに だして ことばを よみましょう。

えを みて ただしい カタカナを かきましょう。（ ）の なかを かきましょう。

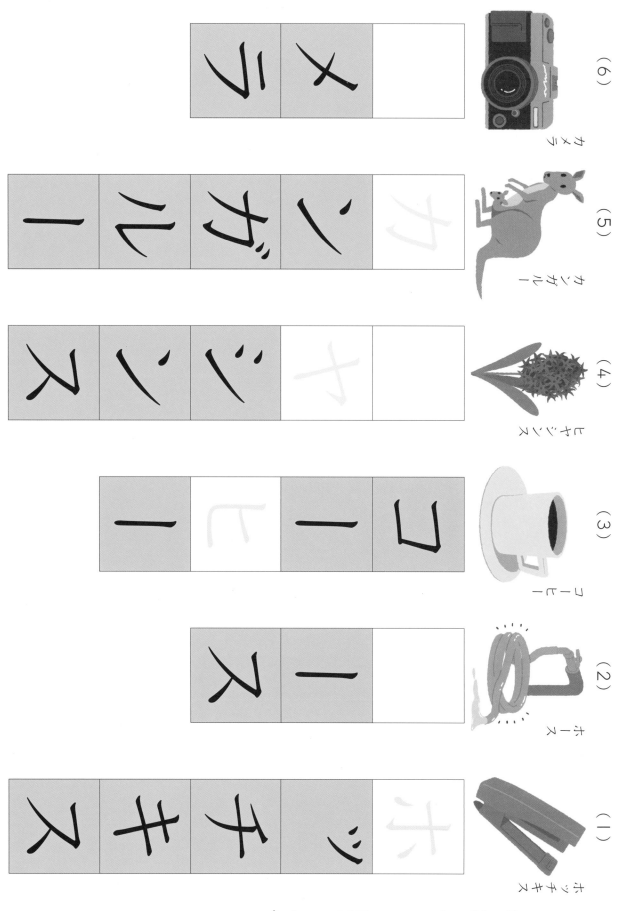

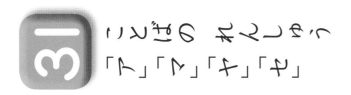

# ③ー ことばの れんしゅう
## 「ア」「イ」「ナ」「セ」

なまえ

にち

くみ

おうちのかたく

読む力がつかないまま、なぞったり、書いたりする練習を続けても、なかなか身につかないものです。ドリルだけでは、読む力が足りないと感じたら、くもんの「カタカナカード」などで遊んだり、カタカナの表を目につくところにはっていつしょに読んであげたりなど、ふだんからカタカナに親しむようにしていくのもよい方法です。

✐ ひらがなと おなじ よみの カタカナを なぞりましょう。

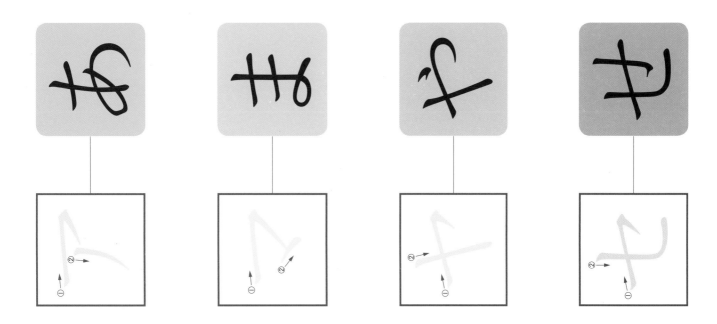

✐ えを みて カタカナを かきましょう。(なぞりましょう。)
こたえに だして ことばを よみましょう。

(1)
アルバム

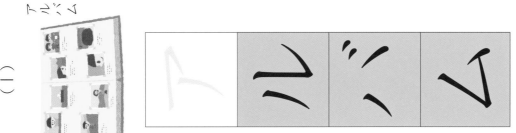

(2)
アイロン

えを みて カタカナを かきましょう。（なぞりましょう。）

いえに ある ものに ついて、 いろいろな なまえを かいてみましょう。

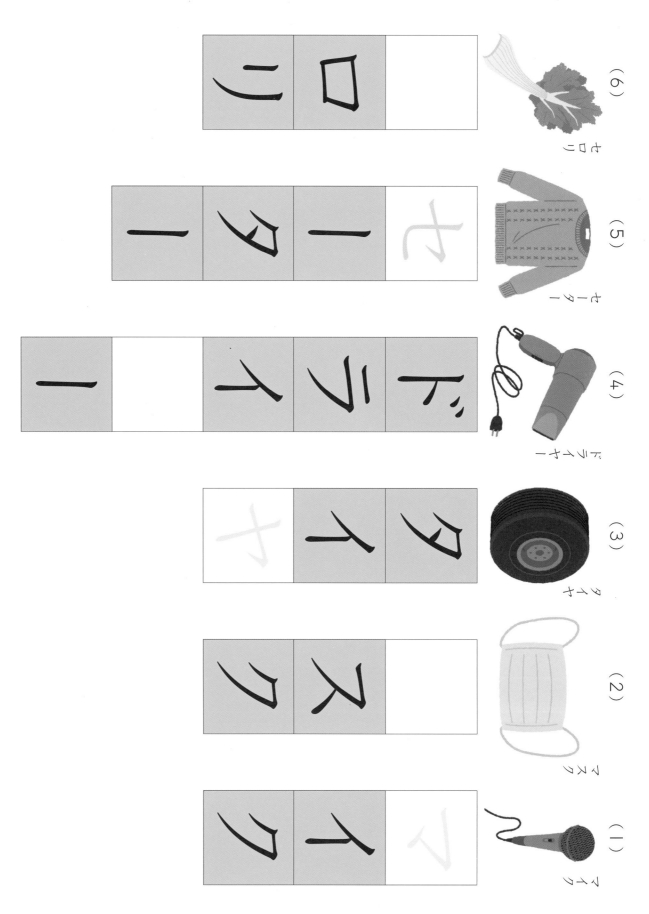

(1) マイク
　　イ ク

(2) マスク
　　ス ク

(3) タイヤ
　　タ イ ヤ

(4) ドライヤー
　　ド ラ イ 　 ー

(5) セーター
　　セ ー タ ー

(6) セロリ
　　ロ リ

| くみ | にち | なまえ |
|---|---|---|
| | | |

おうちのかたへ

「ワ」と「タ」、「ウ」と「ク」は形がよく似ています。形をくらべながら、ていねいになぞりましょう。書いたら、2 じを声に出して読みましょう。

✏ カタカナを なぞりましょう。
こえに だして ことばを よみましょう。

ワ

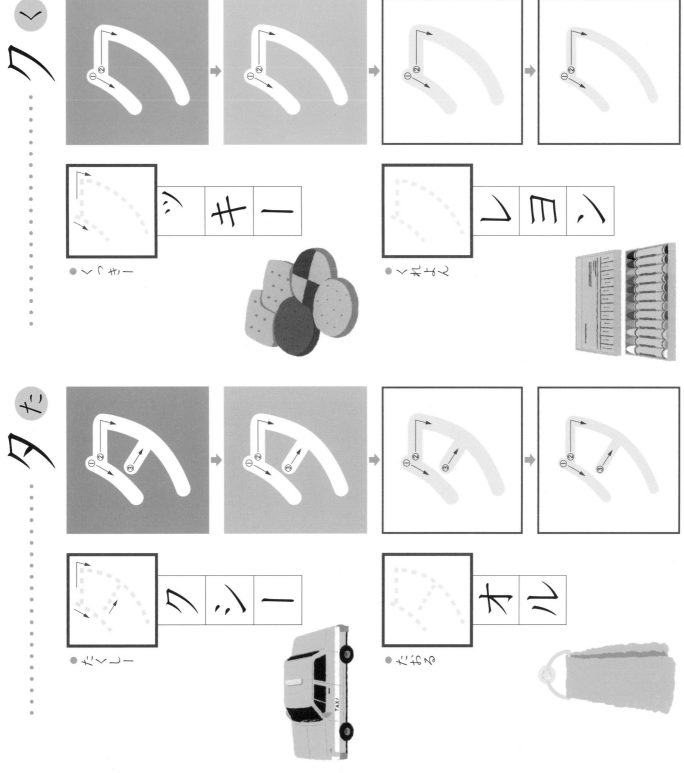

● クッキー

● くれよん

タ

● たくしー

● たおる

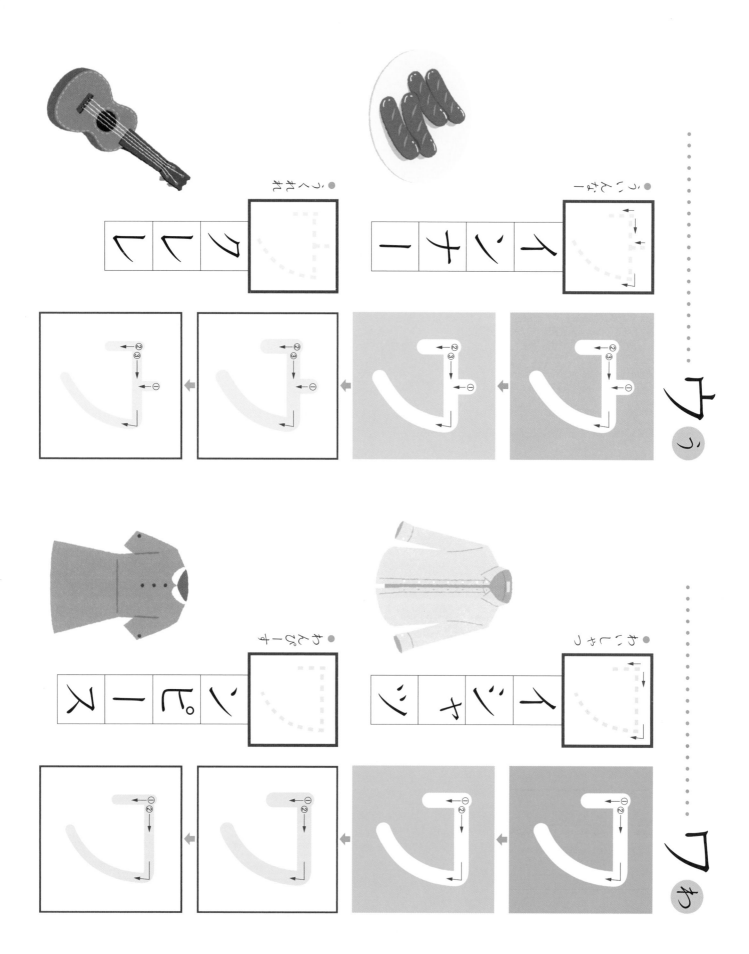

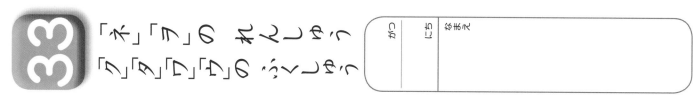

| つか | にち | なまえ |
|---|---|---|

おうちのかたく
「ネ」は形を整えることが難しいカタカナです。ゆっくりていねいになぞるよう、声をかけてあげてください。また「ヲ」はひらがなの「を」にあたるカタカナですが、文章をあえてカタカナのみで書くといった、特別な場合にしかもちいません。まずは「を」と「ヲ」は同じ」ということがわかってくれればよいでしょう。

✎ カタカナを なぞりましょう。
こえに だして ことばや ぶんを よみましょう。

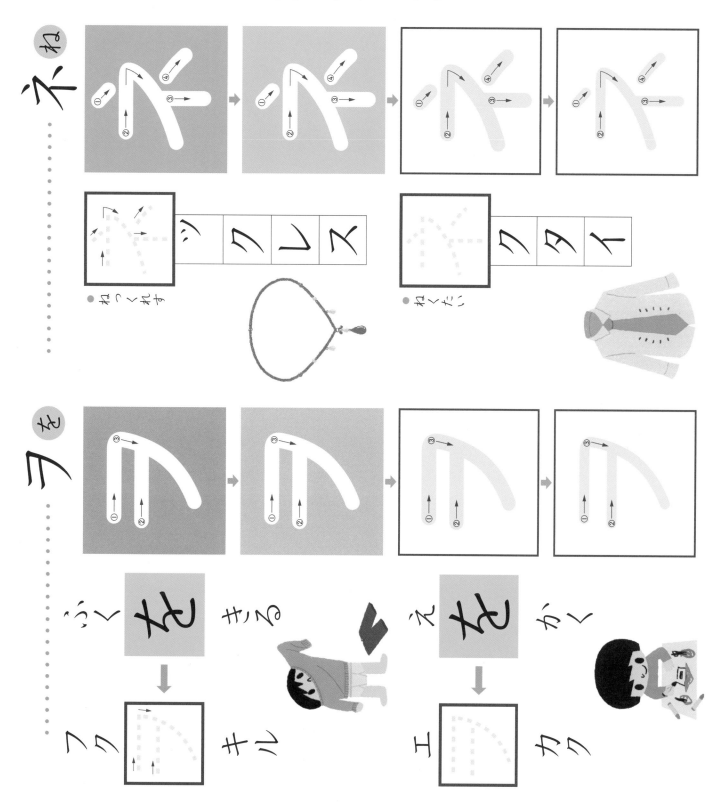

● ねっくれす

● ねくたい

ふく　　　キ　　から

え　　　　か

65　「ネ」「ヲ」の れんしゅう

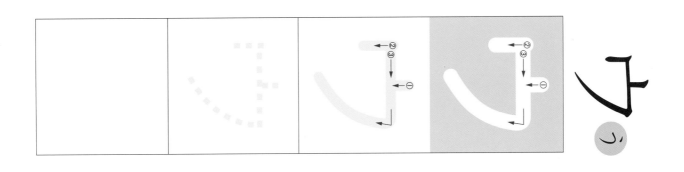

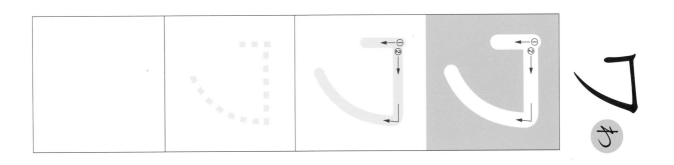

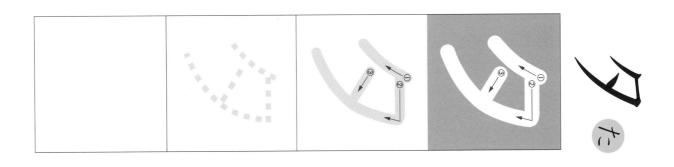

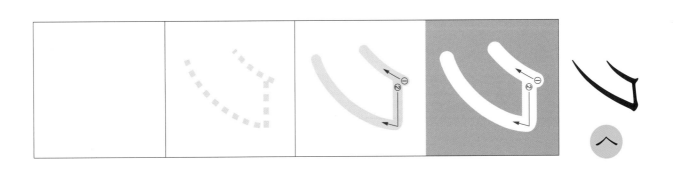

カタカナを　なぞりましょう。（かきましょう。）

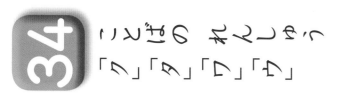

つき　にち　なまえ

おうちのかたへ
「大きな声で読んでいて えらいね」「この「ク」は とてもじょうずに 書けたね」など、お子さまの よいところを 見つけて、おおいに ほめてあげるように しましょう。お子さまが、前よりも少しでも 成長したところを 見つけて ほめてのばして あげることが 大切です。

✎　ひらがなと おなじ よみの カタカナを なぞりましょう。

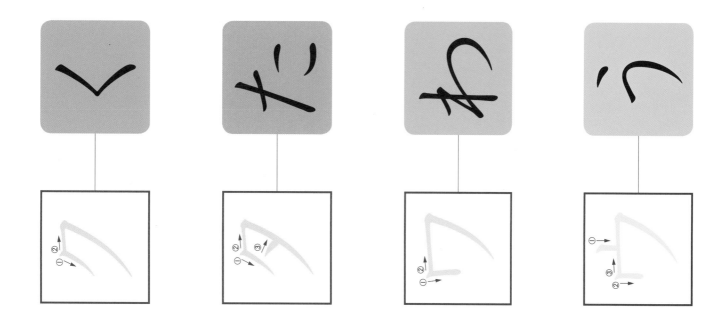

✎　えを みて カタカナを かきましょう。（なぞりましょう。）
　　こえに だして ことばを よみましょう。

（1）クッキー　｜ク｜ッ｜キ｜ー

（2）モッキン　｜モ｜ッ｜キ｜ン

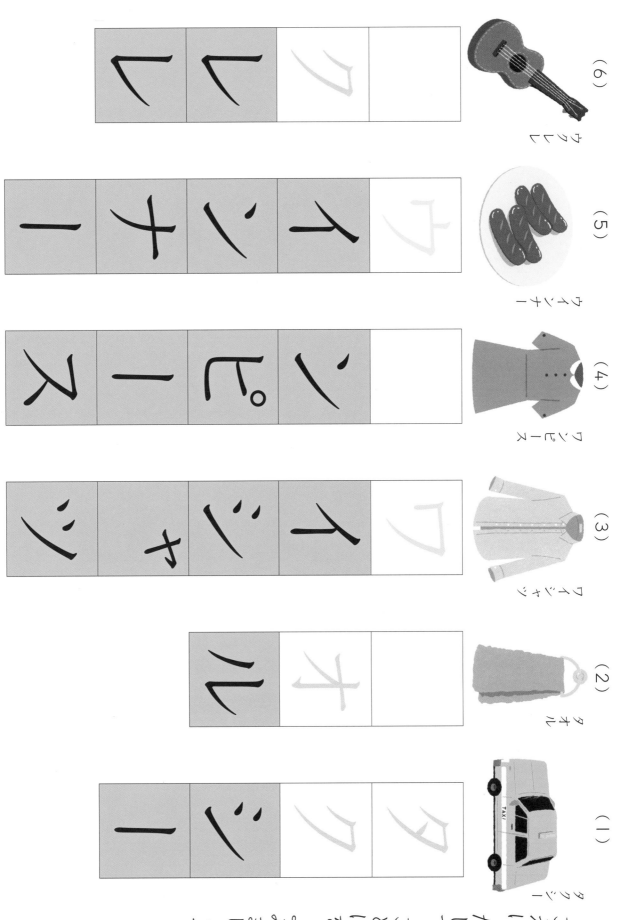

えを みて カタカナを かきましょう。(○じに なります。)

わからない ときは 「ア」「イ」「ウ」「エ」「オ」の ひょうを みて たしかめましょう。

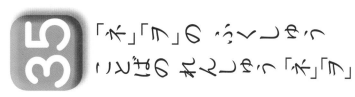

## 35 「ネ」「ヲ」の ふくしゅう

「ネ」「ヲ」の れんしゅう

おうちのかたく

「ネ」や「ヲ」を書く（かく）ときは、難しく（むずかしく）感じる（かんじる）かもしれません。お子さまの手が止まってしまったら、おうちのかたが手を（て）そえたりついしょに書いて（かいて）あげたり、横に（よこ）お手本（てほん）を書いて（かいて）あげたりしてもよいでしょう。

こえに だして よみながら
カタカナを なぞりましょう。（かきましょう。）

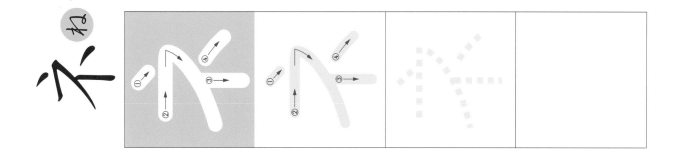

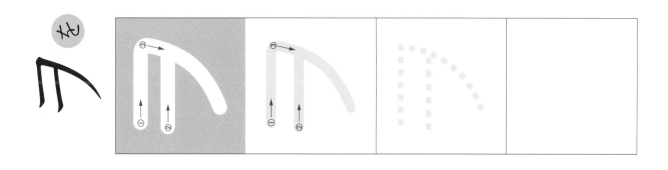

ひらがなと おなじ よみの カタカナを なぞりましょう。

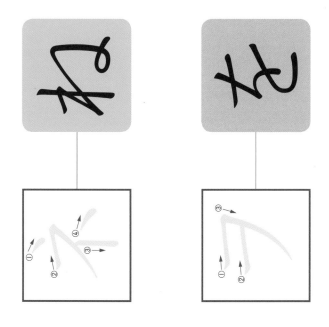

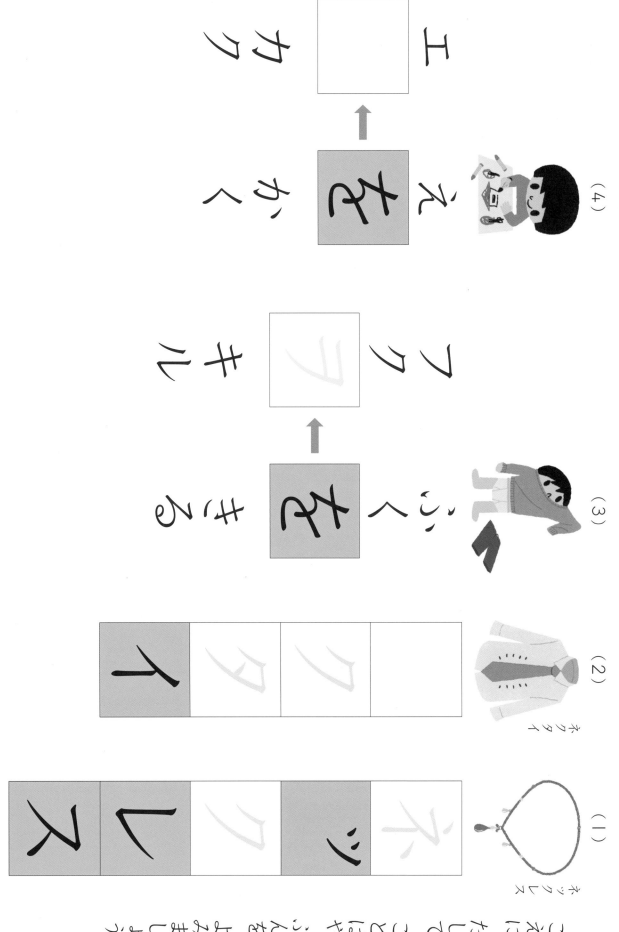

カタカナの れんしゅう「ネ」「ス」

なまえ

にち

がつ

✎ □の なかの カタカナを なぞりましょう。

| | | | | |
|---|---|---|---|---|
| ア | イ | ウ | エ | オ |
| カ | キ | ク | ケ | コ |
| サ | シ | ス | セ | ソ |
| タ | チ | ツ | テ | ト |
| ナ | ニ | ヌ | ネ | ノ |
| ハ | ヒ | フ | ヘ | ホ |
| マ | ミ | ム | メ | モ |
| ヤ | (イ) | ユ | (エ) | ヨ |
| ラ | リ | ル | レ | ロ |
| ワ | (イ) | (ウ) | (エ) | ヲ |
| ン | | | | |

おうちのかたへ

ここまで学習した14文字を、50音表のなかで
もう一度書いてみましょう。書けたら、1文字
ずつ指をさしながら、お子さまといっしょに
声に出して読んでみましょう。忘れてしまっ
ているカタカナがあるようでしたら、前に書
いたページを見せて、「テレビ」の「テ」だ
ねなどと、もう一度思い出せるように声を
かけてあげるといいでしょう。

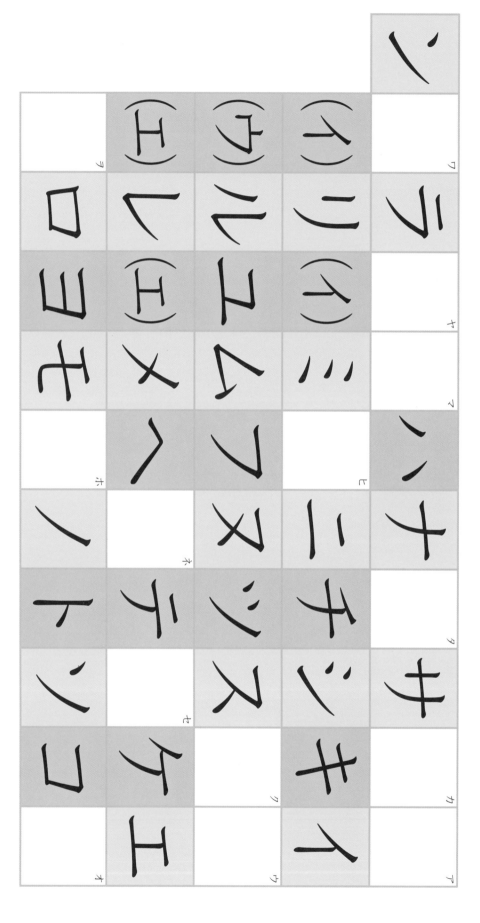

□ に はいる カタカナ を かきましょう。

カタカナの しりとり

おうちのかた
今まで出てきたことばを使ってしりとりをしましょう。しりとりのやり方がわからない場合は、最初はおうちのかたが教えてあげてください。しりとり遊びは、覚えたことばを楽しく復習するのに役立ちます。

✎ えに あう カタカナを かいて(なぞって)、しりとりを しましょう。

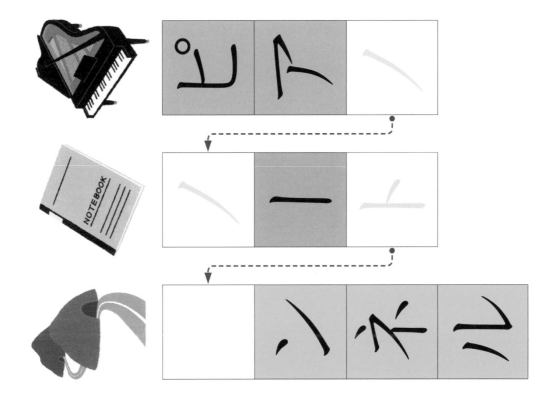

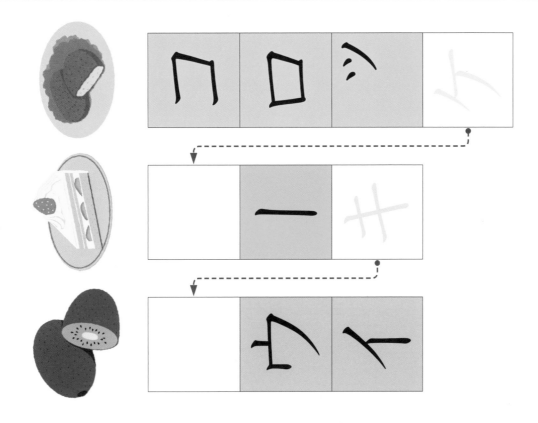

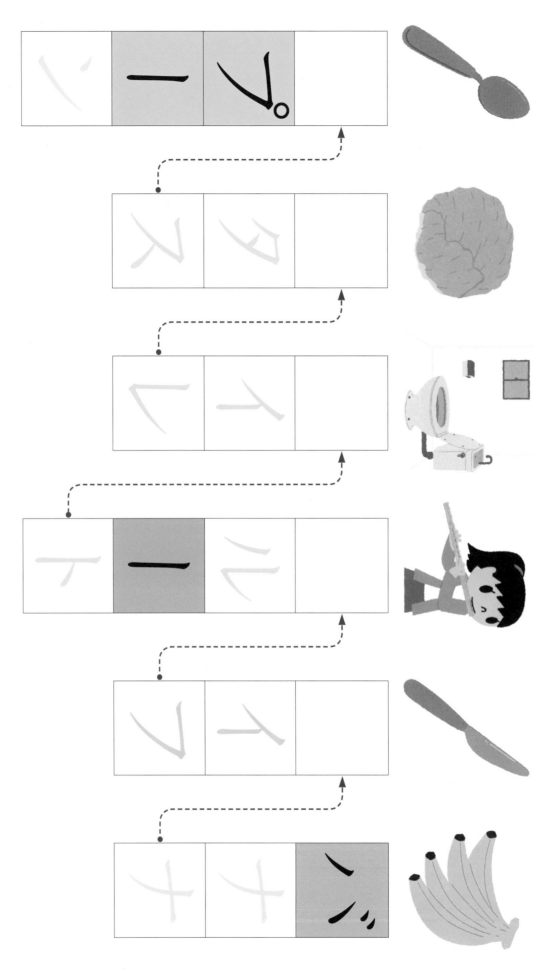

# 38 まとめ❹ 「ン」から「く」まで

| がつ | にち | なまえ |
|---|---|---|
| | | |

✏️ □の なかの カタカナを なぞりましょう。

おうちのかたへ

最後の2枚はこの本のまとめです。ここまで学習してきたカタカナの清音46文字を、50音表のなかでもう一度書いてみましょう。50音図に進め、書きおわったら、1枚をがんばって完成させたことをおおいにほめてあげましょう。同時に、小さなおこさまにとって、表を続けて書ききるのは、たいへんなことです。ほめて、あげましょう。

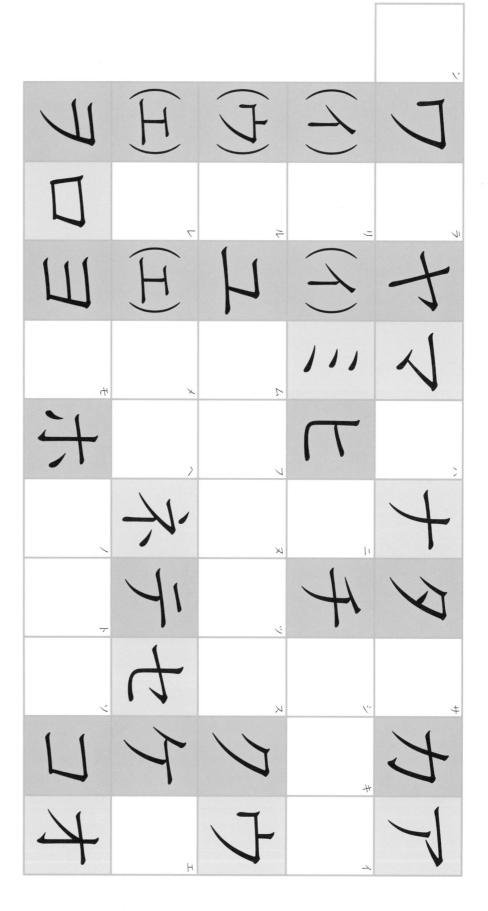

□に はいる カタカナを かきましょう。

| がつ | にち | なまえ |
| --- | --- | --- |
|  |  |  |

□の なかの カタカナを なぞりましょう。

| ア | イ | ウ | エ | オ |
| --- | --- | --- | --- | --- |
| カ | キ | ク | ケ | コ |
| サ | シ | ス | セ | ソ |
| タ | チ | ツ | テ | ト |
| ナ | ニ | ヌ | ネ | ノ |
| ハ | ヒ | フ | ヘ | ホ |
| マ | ミ | ム | メ | モ |
| ヤ | (イ) | ユ | (エ) | ヨ |
| ラ | リ | ル | レ | ロ |
| ワ | (イ) | (ウ) | (エ) | ヲ |
| ン |  |  |  |  |

おうちのかた

ここまで学習を続けてきたお子さまのがんばりを、おおいにほめてあげましょう。おわりをお子さまに渡してあげてください。最後の表と書いてもよいでしょう。最後の表と感じを、最後までやりとげることができたという達成感を、これからのお子さまの自信と成長につなげましょう。

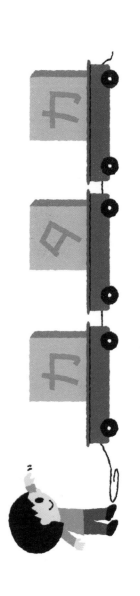

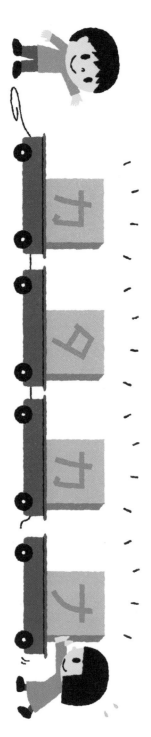

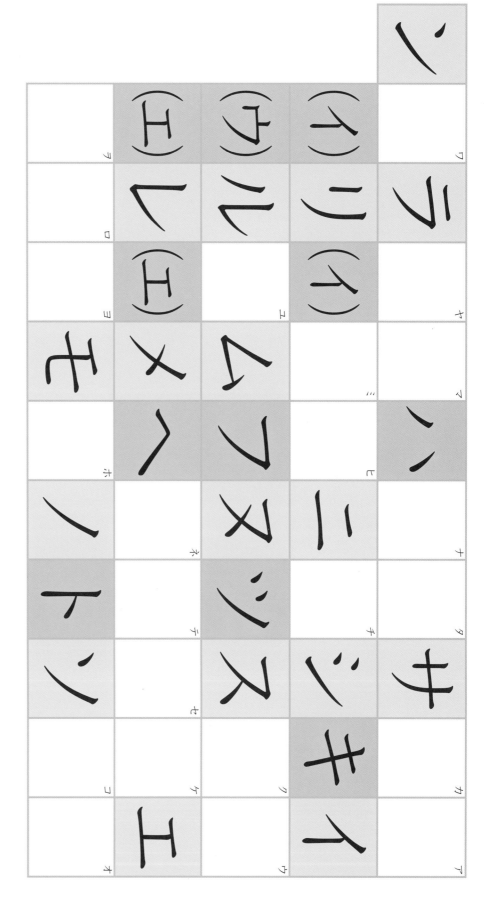

✎ □にはいる カタカナを かきましょう。

郵便はがき

**108-8790**

414

料金受取人払郵便

高輪局承認

**5492**

差出有効期間
平成31年1月
31日まで

切手を貼らずに
ご投函ください。

東京都港区高輪 4-10-18
京急第1ビル 13F

**(株)くもん出版**

お客さま係　行

| | |
|---|---|
| フリガナ | |
| お名前 | |
| ご住所 | 〒□□□-□□□□　都道府県　区市郡 |
| ご連絡先 | TEL　（　　　） |
| Eメール | ＠ |

『公文式教室』へのご関心についてお聞かせください。
1. 教室に入会している　2. 以前通っていた　3. 入会資料がほしい　4. 関心がない
5. BabyKumonに入会している　6. BabyKumonに以前入会していた　7. BabyKumon入会資料がほしい

公文式では随時、指導者(先生)を募集しております。
ご関心をお持ちいただいた方には、教室開設に関する資料をお送りしますので、
以下にご自身のお名前・ご年齢をお書きください。

お名前（　　　　）　ご年齢（　　）歳

詳しくはホームページをご覧ください
くもんの先生　検索

# できたね！シート

1まい おわったら、すきな シールを「できたね！シート」に 1まいずつ はりましょう。
ぜんぶ おわったら、おおきな シールを うらの ひょうしょうじょうに はりましょう。

| | | | | | | | |
|---|---|---|---|---|---|---|---|
| 1 | 2 | 3 | 4 | 5 | 6 | 7 | 8 |
| 9 | 10 | 11 | 12 | 13 | 14 | 15 | 16 |
| 17 | 18 | 19 | 20 | 21 | 22 | 23 | 24 |
| 25 | 26 | 27 | 28 | 29 | 30 | 31 | 32 |
| 33 | 34 | 35 | 36 | 37 | 38 | 39 | |

おおきな シールは
うらに はってね！

24812「はじめてのカタカナ」　　　　ご記入日（　　　年　　　月）

お子さまの年齢・性別　　　　年齢（　　　歳　　　ヶ月）　男 ／ 女

お求めになったお店はどちらですか？　（　　　　　　　　　　　　　　　　）

この商品についてのご意見、ご感想やご提案などをお聞かせください。

```
┌─────────────────────────────────────────┐
│                                         │
│                                         │
│                                         │
│                                         │
│                                         │
│                                         │
└─────────────────────────────────────────┘
```

**Q1 このドリルを選ばれた理由は？**
　　1. お子さまが希望した　　2. 内容がよさそう
　　3.「くもん」の商品だから　　4.「くもん」の他のドリルを使ってみてよかったから
　　5. その他（　　　　　　　　　　　　　　　　　　　　　　）

**Q2 お子さまの様子はいかがでしたか？**
　　1. 喜んでどんどん学習した　　2. つまるところもあったが、ほぼ喜んで学習した
　　3. うまく学習できず進めるのに苦労した
　　4. その他（　　　　　　　　　　　　　　　　　　　　　　　）

**Q3 ドリルを使ってみていかがでしたか？**
　　1. 大変満足　　2. 満足　　3. ふつう　　4. やや不満　　5. 不満
　　6. その他（　　　　　　　　　　　　　　　　　　　　　　）

**Q4 これまでに、このようなドリルを購入したことがありますか？**
　　1. はじめて購入した
　　2. 購入したことがある：くもんのドリル（　　　　）冊　他社（　　　　）冊

**Q5 今後の企画に活用させていただくために、ドリルのご感想などについて、
弊社より電話や手紙でお話をうかがうことはできますか？**
　　1. 情報提供に応じてもよい　　2. 情報提供には応じたくない

ご協力、どうもありがとうございました。

きりとり線

がんばったね！

ひょうしょうじょう

　　　　　　どの

あなたは、
『はじめてのカタカナ』を
さいごまで　おえました。
ここに　ひょうしょうします。
これからも　がんばってください。

年
月
日
より

おおきな　シールを
ここに　はりましょう。

KUMON

＊おうちのかたへ　お子さまの名前と終了した年月日を書き入れて、「できたね！ シール」から、大きなシールをはりましょう。